General misionero

Lázaro Cárdenas

TEZONTLE

General misionero

Lázaro Cárdenas

Enrique Krauze

Investigación iconográfica: Aurelio de los Reyes

Biografía del poder / 8

FONDO DE CULTURA ECONÓMICA

Primera edición, 1987
Segunda reimpresión, 1992

Agradezco la ayuda de las siguientes personas: María Teresa Alarcón, Patricia Arias, Aurelio Asiáin, Federico Barrera Fuentes, Florencio Barrera Fuentes, Rafael Carranza, Adolfo Castañón, Julio Derbez, Lila Díaz, Javier García-Diego, Renée González, Moisés González Navarro, Luis González y González, Julio Gutiérrez, Alicia Hernández, Juan Carlos Ibarra, Alberto Isaac, Jaime Kuri, Valentín López, Josefina Moguel, Laura Martínez, Guillermo Montaño, José Antonio Nava, Norma Ogarrio, Margarita de Orellana, Guadalupe Pacheco, Hortensia Torreblanca, Eduardo Turrent, Fausto Zerón-Medina y Mercedes Zirión de Bueno.

Diseño, portadas e interiores: Germán Montalvo
Fotografía de la portada: Jorge Pablo de Aguinaco

ISBN 968-16-2293-6 (tomo 8)
ISBN 968-16-2285-5 (obra completa)
ISBN 968-16-2787-3 (edición de lujo)

Impreso en México

Del regazo a la Revolución

JIQUILPAN, Michoacán, 1908. Un grupo de parroquianos juega billar haciendo honor al nombre del establecimiento que los acoge: Reunión de Amigos. Es una tienda de abarrotes que vende algo más valioso que abarrotes y semillas: esparcimiento para las penas del alma y hierbas milagrosas para las del cuerpo. Su propietario, don Dámaso Cárdenas Pinedo, vivía entre la bohemia y la bonhomía. Como su padre, el mulato Francisco Cárdenas, y como muchas familias jiquilpenses, había intentado dedicarse a la rebocería. Alguna vez fue también mesonero y comerciante en pequeño. Pero desde 1906, decide instalar en uno de los recintos de su casa, esta suerte de refugio donde no falta la farmacopea. De ella extrae don Dámaso las recetas que suministra a la gente humilde que lo visita y venera con devoción casi religiosa.

En la espaciosa casa familiar, dotada del habitual huerto rodeado de arcadas, oficia otra persona: su mujer, doña Felícitas del Río Amezcua. Originaria del aledaño pueblo de Guarachita –siempre receloso y en pleito con la inmensa hacienda de Guaracha–, doña Felícitas proviene de una familia de mayor lustre y recursos que la de don Dámaso. Con sus ojos dulces y profundos, ayudada por su cuñada Ángela, que ha quedado muda desde hace algún tiempo, y por la nana Pachita, doña Felícitas vigila con piedad cristiana los pasos de su numerosa prole: Margarita, Angelina, Lázaro, Josefina, Alberto, Francisco, Dámaso y José Raymundo. Mientras las mujeres dan la mano en el hogar y los más pequeños crecen, el hijo mayor, Lázaro, de apenas 13 años, ha abandonado en el cuarto grado la escuela oficial que dirige don Hilario de Jesús Fajardo. Allí ha aprendido que "el árbol es el mejor amigo de los niños, los cobija con su sombra, da salud y frutos y enriquece a los países", pero su aprendizaje en materias librescas ha dejado que desear. Habrá que buscarle un trabajo de provecho. No será difícil. Ha heredado los mejores rasgos de sus figuras tutelares: la bonhomía del padre, la piedad de la madre, el silencio expectante, como de esfinge indígena, de la madrina Ángela.

Un año después: 1909. El joven Lázaro Cárdenas ingresa como "meritorio" en la mesa segunda de la Oficina de Rentas de Jiquilpan. De oficio en oficio perfecciona la hermosa caligrafía "izquierdilla" que usará toda la vida. Su seriedad en el trabajo no es ajena por completo a cierta ambición material: ha visto y envidiado los caballos de lucir de algunos amigos. Muy pronto complementa sus modestos ingresos con la paga de aprendiz en la imprenta La

1

1. Los padres.

2

2. El meritorio Cárdenas en la Administración de Rentas.

Económica que ha instalado don Donaciano Carreón en el mismo edificio en que se encuentra la Administración de Rentas. Allí aprende a lavar formas, limpiar máquinas y "parar" textos lo mismo para folletos oficiales que para devocionarios. Injustos reveses de fortuna lo separan de la Oficina de Rentas pero, al poco tiempo, la misma fortuna le depara un suceso inverso: se vuelve socio de la imprenta.

En una foto de la época, el hijo mayor de don Dámaso y doña Felícitas, rodeado de adultos, aparece con gesto y atuendo de adulto. El administrador de La Económica recordaría muchos años más tarde "al muchachito aquel por quien no daba ni cuartilla (...) siempre callado, serio, atento". Don Donaciano Carreón lo había visto en muchas ocasiones con "el mentón sobre la mano y los codos sobre la mesa, reflexionando con (...) mutismo". Alguna vez que una pequeña compañía de teatro se presentó en Jiquilpan, el pequeño Lázaro había intervenido como actor sólo para ganarse el apodo de *El Mudo*. No es casual que aquel talante reservado hallase expresión muy temprana en un diario personal al que podía confiar sus vagas sospechas de una futura grandeza. "Mire usted, Florentinita –reveló Lázaro años después a la mujer de

Carreón–, yo de chico me soñaba militar entrando a una población después de haberla tomado por las armas, montando un caballo retinto." Las primeras notas del *Diario* son de mediados de 1911. Al año, Lázaro confiesa: "Creo que para algo nací (...) Vivo siempre fijo en la idea de que he de conquistar fama. ¿De qué modo? No lo sé."

A la premonición sigue un sueño: "una noche borrascosa por las montañas" se ve a la cabeza de una tropa numerosa "liberando a la patria del yugo que la oprimía", y se pregunta: "¿Acaso se realizará este sueño? (...) ¿De qué pues lograré esta fama con que tanto sueño? Tan sólo de libertador de la patria. El tiempo lo dirá."

Para entonces la Reunión de Amigos se ha disuelto. Víctima de un mal de la vista para el que su farmacopea no indica el remedio, don Dámaso ha clausurado desde 1910 negocio y tertulia. Un año después, a los 58 de edad, muere, y deja a la familia en situación que dista mucho de desahogada. La parentela de doña Felícitas y algunos buenos amigos como el señor Múgica, de Zamora, se prestan a auxiliarla. Las circunstancias la obligan a "coser ajeno" y recrudecen sus accesos de "paroxismo". Para colmo, Dámaso, su hijo, se fuga temporalmente de la casa, pero en todo momento su apoyo mayor será el adusto Lázaro, a quien los hermanos menores verán desde entonces como a un padre. De hecho, José Raymundo, el benjamín, le dirá "papá".

En junio de 1913 la Revolución entra en Jiquilpan. Pedro Lemus, lugarteniente de José Rentería Luviano, ocupa la ciudad y encarga a la imprenta La Económica la publicación de un manifiesto. Lázaro y sus socios lo acatan. Días más tarde una columna

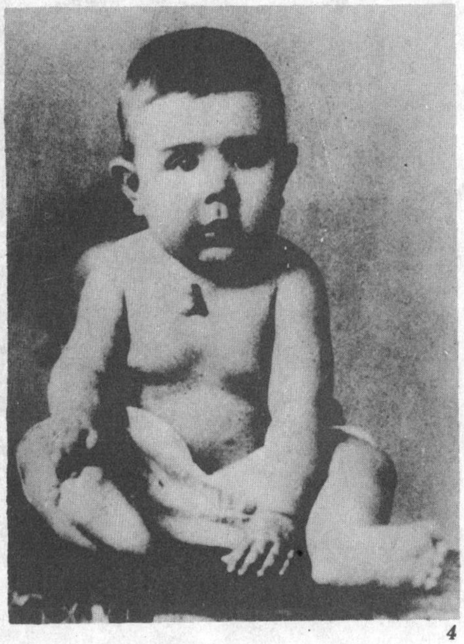

4

3

3. La casa de los Cárdenas en Jiquilpan.
4. El niño Lázaro.

5

5. Primeras campañas.

de rurales repele a Lemus y recupera Jiquilpan. Los huertistas acuden a la imprenta, vuelcan las cajas, confiscan los impresos y queman el archivo. A mediados de aquel mes, obedeciendo los deseos de la madre (que temía, quizá con razón, por su vida) el joven Cárdenas sale de la ciudad "a pie" –según recuerda en su *Diario*– para refugiarse en la hacienda de La Concha en Apatzingán, de donde era administrador su tío materno. No sería pequeña la sorpresa de doña Felícitas al enterarse, al poco tiempo, de que su amado Lázaro había terminado por refugiarse no con el tío, sino con la Revolución.

Mientras en el norte del país la lucha contra Huerta tomaba vuelo y en los cañaverales de Morelos Zapata seguía haciendo *su* revolución, Michoacán parecía un territorio casi al margen de la guerra. Ya para entonces la gente hablaba de "los fronterizos" como sinónimo de revolucionarios, denotando así su origen externo, ajeno. La conseja era exacta. Gertrudis Sánchez, iniciador de la Revolución en Huetamo, había nacido en Saltillo, y sus Carabineros de Coahuila nunca se avinieron con los otros –muy escasos– jefes revolucionarios en Michoacán, como José Rentería Luviano o Cenobio Moreno. Las partidas de alzados recorrían la zona en forma aislada, sin orden ni concierto, siguiendo sólo a sus jefes naturales. Uno de ellos operaba justamente por el rumbo de Apatzingán y en tránsito permanente hacia Guerrero. Era el general Guillermo García Aragón, oriundo del Estado de México, compadre de Zapata que, pese a estar malquistado con el Caudillo, compartía sus ideales agraristas.

Un buen día de julio de 1913 Lázaro Cárdenas exhibió su hermosa letra izquierdilla ante García Aragón y relató seguramente su experiencia como impresor, oficinista y escribiente, todo lo cual le valió la incorporación al estado mayor del jefe como capitán segundo encargado de la correspondencia. "En esta columna –escribiría con el tiempo en su *Diario*– (era) más palpable el sentido agrarista de la lucha armada." Dos meses después Lázaro sufre su primera paliza a manos del general huertista Rodrigo Paliza. El joven capitán segundo –a quien desde entonces acompañaría la buena suerte– escapa en las ancas del caballo de Ernesto Prado, futuro cacique que reclamaba la devolución de la tierra usurpada a las comunidades indígenas de la cañada de Chilchota. Junto al puntual aprendizaje de las formas militares bajo el mando disciplinado, exigente, pero comedido, de García Aragón, el silencioso Lázaro presencia actos que revelan, en la guerra, un sentido más allá de la guerra, como aquella indeleble entrevista de García Aragón con Casimiro López Leco, caudillo de los indígenas de Cherán levantados contra la compañía extranjera que explotaba los bosques de la comunidad gracias a una concesión leonina.

La guerra, con sus palizas y enseñanzas, tomaría nuevo curso para Lázaro en octubre de ese año. Mientras García Aragón optaba por internarse en Guerrero para unir sus fuerzas a las de Ambrosio Figueroa (el acérrimo enemigo de su compadre Zapata), el joven escribiente Cárdenas se integra a la columna de Martín Castrejón, con quien los sustos están a la orden del día: combates, balaceras, corretizas. Desde Apatzingán le llegan las primeras insinuaciones de indulto, que rehúsa. Su lealtad le vale un primer trofeo de lucir, regalo del general Castrejón: un hermoso caballo ruano. En sus ancas acarrearía por un tiempo al bravo teniente coronel Benigno Serrato, cuyo caballo había sido muerto en el combate de La Nopalera.

Hacia noviembre de 1913 las endebles fuerzas de los "fronterizos" en Michoacán vuelven a dispersarse. Esta vez el joven Lázaro deja cananas y carrilleras y decide volver con su madre a Jiquilpan. El encuentro es breve porque el ex escribiente está fichado. A los pocos días parte rumbo a Guadalajara, donde vive cinco meses en el anonimato. Ha podido más la preocupación materna que las incipientes aspiraciones de revolucionario. En marzo de 1914 Lázaro es acomodador de botellas en la cervecería La Perla, de Guadalajara. En mayo la nostalgia por la madre lo lleva de nuevo a Jiquilpan. "Mi madre me esperaba en la puerta –escribe en sus *Apuntes*–; tenía un rosario en la mano, 'bien, madrecita', y me abrazó." Por desgracia, la consigna en su contra en la Prefectura no ha desaparecido. Se esconde, primero en su casa y luego en la huerta de unos amigos. Es aprehendido y escapa gracias a la ayuda de los muchachos Medina, que le cubren las espaldas. Las peripecias, que tienen a doña Felícitas "con el Jesús en la boca", no terminan sino hasta fines de junio de 1914, cuando los revolucionarios triunfantes toman plena posesión de la zona.

Un año después del incidente de la imprenta en que la Revolución había tocado literalmente a su puerta, Lázaro podía presentir que aquellos sueños vertidos en su *Diario* empezaban a configurarse vagamente: por devoción a la madre, por responsabilidad de jefe de familia, por carecer del temple guerrero –pero nunca por cobardía– había intentado esquivar la Revolución. Era inútil. Como un nuevo llamado del destino, inadvertidamente, el 23 de junio Lázaro sirve de enlace entre las fuerzas de los jefes revolucionarios Morales y Zúñiga, este último antiguo lugarteniente de García Aragón. Por fin se pliega a un destino casi explícito: en vísperas de las intensas y decisivas batallas del Ejército Constitucionalista contra los federales en la región tapatía, decide integrarse definitivamente a la Revolución. Ante los desplantes violentos de Zúñiga (a punto de fusilar a un sacerdote "por bonito y por cabrón"), doña Felícitas le ruega con "lágrimas en los ojos (...) no hagas eso tú". No lo disuade de su decisión, pero graba en él un

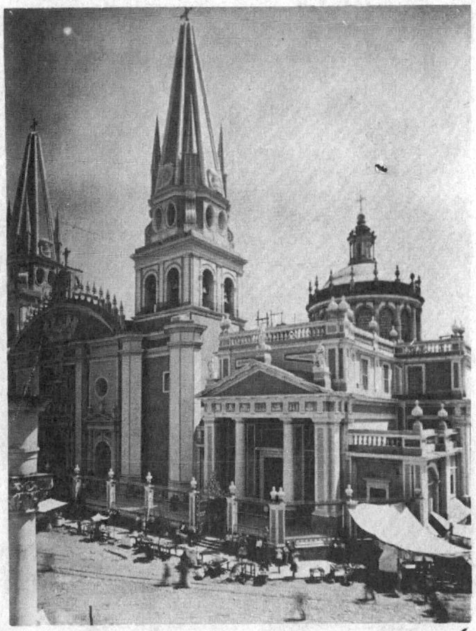
6

7

6. Se ocultó en Guadalajara.
7. Lugarteniente de García Aragón.

8

mensaje permanente contra los excesos sanguinarios de la guerra.

El 8 de julio de 1914 Lázaro Cárdenas comanda el tercer escuadrón del 22° Regimiento de la división de caballería incorporada –bajo el mando de Lucio Blanco– al Cuerpo de Ejército del Noroeste. Aquel escuadrón es el primero en entablar combate en Atequiza, Jalisco, con las fuerzas del general José María Mier. La invicta división de Álvaro Obregón continúa su marcha hacia la ciudad de México. Uno de los anónimos testigos de la firma de los Tratados de Teoloyucan es el capitán Cárdenas. Momentos después, también es uno de los primeros soldados en ocupar la capital. La brigada a que pertenece, a las órdenes del jefe Zúñiga, recibe orden de contener los ataques zapatistas en la zona de Iztapalapa, Coyoacán y Xochimilco. El 7 de septiembre anota en sus *Apuntes:* "Los zapatistas se acercaron al plan pero no continuaron adelante, pues donde no hallan parapetarse, no procuran avanzar." El 19 del mismo mes le llega un merecido ascenso a mayor. A los dos meses, cuando en el horizonte apunta claramente la guerra civil entre Carranza y la Convención, el mayor Cárdenas, aún bajo las órdenes de Lucio Blanco, marcha hacia Real del Oro, Acámbaro y Aguascalientes, con destino final en Sonora. En el albur de la guerra le había tocado el bando de la Convención.

A pesar de su reciente ascenso a mayor, el cuadro personal del joven jiquilpense no era halagüeño. Estaba y se sentía a la deriva. A resultas de una querella con el general Diéguez en Guadalajara, el jefe Zúñiga, a quien Cárdenas profesaba respeto, había sido asesinado repulsivamente "a puñaladas de marrazos". Meses antes, durante la estancia en la capital, otro de sus antiguos jefes, Guillermo García Aragón, había sido sacrificado en la Escuela de Tiro por instrucciones de Zapata. A fines de diciembre, en Aguas-

9

8. Combatió a los zapatistas.
9. En Ixtapalapa, 1914.

10

calientes, su nuevo jefe directo, el viejo Federico Morales y sus superiores Ramón Sosa y Juan Cabral, reciben órdenes de incorporarse al ejército de Maytorena. Cárdenas los sigue con lealtad y desazón. Desde principios de ese mes –según recordaría el mayor Ruiz, que lo trató en esos días– Cárdenas "me invitó para que procurásemos pasarnos con todo y los elementos de guerra que traíamos cada cual (...) al bando carrancista puesto que para nada simpatizaba con el villismo". El "frío intensísimo" de la travesía por el Cañón del Púlpito que gangrenó las extremidades de muchos soldados, avivó en él, seguramente, la decisión de cambio que sin embargo no sobreviene hasta que los propios superiores lo propician. Después de llamar a junta a los jefes de los regimientos y batallones, Morales, Sosa y Cabral se separan de la Convención: el primero optaría por el exilio, el segundo iría a Veracruz con Carranza, el tercero –viejo y fiel combatiente maderista– buscaría disuadir a Maytorena de su alianza con Villa. Los subalternos como el mayor Cárdenas quedaban de hecho en libertad para elegir bando.

Después de llevarlo como testigo y actor por los escenarios y momentos decisivos de la Revolución, el azar deposita al jiquilpense con su 22° Regimiento de Caballería en territorio del general Plutarco Elías Calles, cuyas fuerzas tenían asiento en Agua Prieta, Sonora. Allí, en la mañana del 28 de marzo de 1915, el duro, estricto y lúcido ex profesor de Guaymas estrecha por primera vez la mano cordial del joven de apenas 19 años, que ya con el grado de teniente coronel comandaba al regimiento "michoacanojalisciense". Una corriente de mutua simpatía recorrió los dos semblantes: el maestro Calles andaba siempre en busca de discípulos, el joven Cárdenas –desde la muerte del bueno de don Dámaso y de todos sus jefes revolucionarios– era un militar en

11

10. ¿Conocería a Cedillo en Aguascalientes?
Saturnino Cedillo y José Isabel Robles dialogan.

11. Capitán.

12

13

12. Se acercó al general Calles, aquí flanqueado por los jefes yaquis, Francisco Serrano (*) y Adolfo de la Huerta (**).
13. Mayor.

busca de padre. Una semana después de aquel encuentro, luego de un "fructífero" asalto en Anivácachi en que se destacó con sus 300 hombres, Cárdenas apunta satisfecho y admirativo: "En el camino me regaló el señor general su caballo negro (entero) (...) noblemente liberó a los prisioneros."

A partir de mayo la guerra adquiere una presencia más viva y cotidiana: exploraciones, acosos, nobles encuentros con el enemigo: "logré alcanzarlo y darle la voz de ríndase, me hizo un disparo sin herirme". El 17 de julio en Anivácachi, al mando de sólo 500 hombres, Cárdenas logra evitar que lleguen refuerzos para un enemigo cuatro veces más numeroso. Dos días más tarde toma Naco en forma casi incruenta y hace desaparecer, por orden de Calles, todo el alcohol. Éste informa con orgullo de maestro a Obregón:

> Las tropas de Cárdenas se condujeron admirablemente, y más de una felicitación autorizada recibí con motivo de la conducta ejemplar de ellas en aquel golpe que el enemigo no esperaba, y muy especialmente por las medidas rápidas, instantáneas, tomadas contra el alcoholismo, la prostitución y el juego, vicios que eran explotados por Maytorena y sus amigos políticos.

A mediados de septiembre el joven teniente coronel es víctima de una emboscada en Santa Bárbara. Resiste el ataque de 800 hombres de infantería –incluyendo efectivos yaquis– por más de tres días sin tregua y sin víveres. Es la batalla en que muere Cruz Gálvez, el lugarteniente a cuya memoria dedicará Calles las escuelas que fundaría poco después como gobernador de Sonora. Ante tal despliegue de valor, Cárdenas recibió el grado de coronel. Quizá supo también que en el informe que rindió al general Obregón, Calles se refería a él como un "bravo jefe".

El 1o. de noviembre Cárdenas –a quien el jefe Calles comenzó a llamar *Chamaco*– tiene a su cargo el primer sector en la defensa de Agua Prieta. Las fuerzas villistas se estrellan irremisiblemente contra la población pertrechada. El 5, en Gallardo, encuentra un buen cañoncito y 300 caballos semimuertos... los restos del villismo derrotado. El día siguiente conoce al general Obregón. A fines de aquel año, reducida ya en Sonora la fuerza enemiga, hojea con orgullo filial la *Revista Ilustrada,* cuya página central narra "la admirable defensa de Agua Prieta". Tres fotografías ilustraban el reportaje: la de Obregón, la de Calles y la suya propia. ¿Recordaría entonces sus sueños de 1912? Quizá, pero sus preocupaciones eran muy distintas. En la primera oportunidad que se presenta tras la derrota villista, el coronel Cárdenas regresa a Jiquilpan. Unos días le bastan para disponer cambios radicales en la vida familiar: la madre enferma se mudaría a Guadalajara, los hermanos mayores –Dámaso, Alberto y Francisco– se incorporarían a su estado mayor, el pequeño José Raymundo estudiaría en California. En marzo de 1916 regresa a Sonora, donde interviene en algunas escaramuzas contra los yaquis y se admira del dinamismo reformador de su general-maestro-padre Calles. No tarda en solicitar su baja para atender "asuntos de familia que le urgen", aduciendo que "gustoso volverá a estos campos a luchar contra el invasor". Calles concede el permiso, pero lo retira casi de inmediato. Hay un enemigo de mayor cuidado que el invasor y cuya eliminación es más urgente que cualquier asunto de familia: Pancho Villa en su madriguera de Chihuahua.

14. Banda musical de Calles en Naco.

14

15

15. Peleó contra el mismísimo Villa.

A principios de 1917 el 22° Regimiento de Lázaro Cárdenas, al mando del general Guillermo Chávez, entabla varios combates con las bandas de Villa. En San Francisco, Durango, la lucha es contra el mismísimo Villa, convertido nuevamente en temible bandolero. Casi todo aquel año se agota en la búsqueda infructuosa del guerrillero. En San Fermín, el 28 de octubre, la columna de Cárdenas se empeña en una acción desigual, con resultados desastrosos. Comenzaba a quedar claro que la prenda mayor de Cárdenas como militar no era la astucia sino el arrojo.

En marzo de 1918 la guerra cambia de escenario una vez más. Ahora el enemigo es la indomable tribu yaqui. El 26, se combate en los cerros de La Gloria, Cárdenas apunta:

> El asalto se hizo al amanecer sobre la posición enemiga. El enemigo resistió poco, tanto por la sorpresa como por lo acertado de los disparos de un cañón de montaña que se emplazó; huyó por la sierra y se le persiguió por la Sierra de las Burras, cercana a El Bacatete. Las tropas sufrieron bastante por la falta de agua. En su mayoría nos alimentamos los dos días con raíz de palo dulce y biznaga.

Al cabo de unos días, el joven coronel parte hacia Michoacán. Ha solicitado y se le ha concedido el permiso de combatir a los feroces bandidos que asuelan su estado natal. En el trayecto se detiene en Guadalajara, sólo para encontrar moribunda a doña Felícitas. "Tuvo aliento de esperar mi llegada", escribiría en su *Diario*. Antes de su muerte que ocurrió el 21 de junio de 1916, tuvo aliento también para encargarle que cuidara a la pequeña Alicia, la hija que Cárdenas acababa de procrear con una mujer norteña.

La pérdida de su madre, "mujer idolatrada" –como decía la letra de una de sus canciones preferidas– debió inyectarle rabia en su combate de los tres azotes de Michoacán: Jesús Cíntora, que operaba en la región del Balsas y Tierra Caliente; José Altamirano, merodeador de las ciudades del centro, y el más sanguinario de todos, Inés Chávez García, que asesinaba a cuchillo a sus prisioneros y se solazaba contemplando las violaciones que perpetraba su chusma. Por desgracia para Cárdenas, tampoco aquí la rabia y el valor se tradujeron en victorias y sí estuvieron, en cambio, a punto de costarle la vida.

El 24 de julio de 1918 enfrenta a Altamirano en una comarca muy peligrosa, propicia para las emboscadas. Ha medido mal el terreno y sus efectivos. Su tropa queda destrozada, los sobrevivientes se desbandan y él mismo debe huir buscando la vía del ferrocarril. Años después Cárdenas narraría a su antiguo jefe de la imprenta aquel trance difícil. Carreón recordaba:

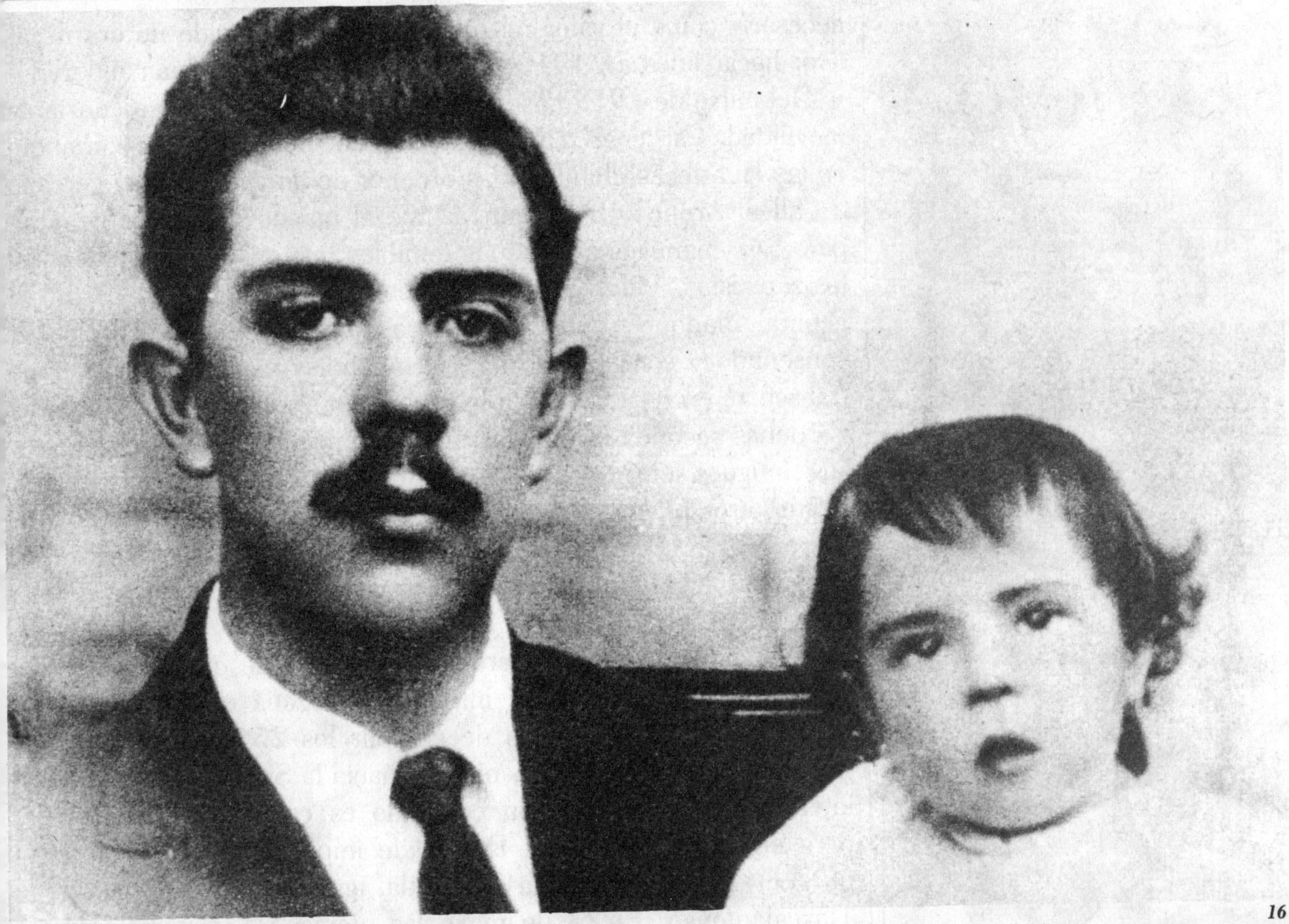

16

Se vieron en el caso desesperado de pelear con los que les salieron al encuentro y a caballo. Ante el bochorno de caer prisioneros de aquella chusma, intentó suicidarse, pero se lo impidió uno de los oficiales que lo acompañaba. En ese momento el más osado de los rebeldes alcanzó a tomar al General por el cuello, pero éste se defendió disparándole, con toda seguridad en el cráneo, la última bala de la pistola, que había reservado para suicidarse. Unos cuantos disparos de sus compañeros ahuyentaron a los demás y pudieron retirarse hasta la vía del tren, adonde llegaron fatigadísimos por la carrera, siguieron para la estación de Quirio y de allí a Morelia. Al llegar a esta ciudad, el General, en unas cuantas horas, en ese mismo día rehízo sus fuerzas, las organizó y pertrechó e inmediatamente volvió a Quirio para darle alcance al cabecilla Altamirano, al que encontró en la noche en la ranchería "Las Cruces" festejando la Victoria del día.

En la revancha, Cárdenas salvó la vida de varios prisioneros, pero no logró capturar a Altamirano. "A pesar de esta lección –escribiría uno de sus biógrafos más rendidos– no llegaría a aprender completamente que la cautela en un comandante es tan

17

16. Con su hija Alicia.
17. Volvió a Morelia

18

19

necesaria como el valor mismo." Con todo, el saldo no era negativo: hacia fines de 1918 Chávez y Altamirano habían muerto.

Del inicio de 1919 hasta mediados de 1920, fiel a su constante movilidad, Cárdenas muda de escenario. Los combates son ahora en las Huastecas, donde, a las órdenes de un general muy cercano a Calles, Arnulfo R. Gómez, asume el mando del sector de Tuxpan. Los enemigos son menos temibles que los pelones federales, los zapatistas, Villa, los yaquis o los bandoleros de Michoacán: el general Blanquet, que cae al poco tiempo, y el general Peláez, consentido y consentidor de las compañías petroleras. El tiempo transcurre en relativa calma hasta que en abril de 1920 el coronel Cárdenas secunda el movimiento de Agua Prieta, encabezado por sus antiguos jefes sonorenses contra la "imposición carrancista". Según otros biógrafos no menos rendidos, Cárdenas emite en Gutiérrez Zamora un manifiesto en que desconoce a Carranza e impone préstamos forzosos a los ricos de Papantla para ayuda de la causa.

A mediados de mayo Cárdenas se entera de que la maltrecha columna del Presidente se interna en la zona que comanda. El 20 de mayo, un día antes de cumplir los 25 años y ya con el grado de general brigadier, marcha hacia la Sierra de Puebla para interceptar la columna. Su cometido es capturar al Presidente, pero el caudal del río El Espinal le impide el paso. Cuando al fin la creciente cede, llega a Coyutla, ignorante de los sucesos de Tlaxcalantongo. El 23 de mayo las fuerzas del general Herrero –que días antes había recibido comunicaciones de Cárdenas instándolo a la sublevación– ven destacarse al frente de la comitiva que los acoge a "un apuesto joven de 24 a 25 años, que demostraba desde luego ser un magnífico jinete porque montaba con mucha soltura y arrogancia un caballo brioso". El 25 de mayo Cárdenas y Herrero entran festivamente a Papantla. Un día después, el general Calles, ministro de Guerra en el gabinete provisional de Adolfo de la Huerta, encomienda a su fiel *Chamaco* acompañar a Herrero hasta la ciudad de México para rendir testimonio de los sucesos de Tlaxcalantongo. Camino a México, pensó quizá en las mil peripecias que el destino le había deparado; en los diversos enemigos, escenarios, situaciones; en sus sueños de adolescente que poco a poco se perfilaban. Sin embargo, a pesar de los riesgos en que por arrojo imprudente había incurrido y de la suerte de haberlos superado, Cárdenas no valoraba aún su prenda más valiosa y extraña: su buena estrella. Si El Espinal hubiera acarreado un caudal menor, ¿cómo hubiese enfrentado el joven brigadier al anciano Presidente?

18. Acompañó a Rodolfo Herrero.
19. Al centro, el joven Francisco Múgica.

Humanismo militar

A MEDIADOS DE junio de 1920 Cárdenas vuelve a su terruño como flamante jefe de Operaciones Militares y, por unos días, como gobernador sustituto. El resto del año se le va en mediar en los conflictos electorales de su estado. Contienden para la gubernatura varios candidatos: Manuel Ortiz, Porfirio García de León –a quien apoya la Legislatura de Morelia– y el artífice ideológico de la Constitución del 17, antiguo amigo de la familia Cárdenas: el general Francisco J. Múgica. El tiempo alcanza apenas a Cárdenas para promulgar una ley de salario mínimo y encarrilar a su amigo en la gubernatura. A fines de 1920 parte a Sonora como jefe de la Primera Brigada. Desde allí escribe a su querido mentor Calles, ministro de Gobernación en el novísimo gabinete del presidente Obregón:

Mi General:

Lo saludo con afecto.

Creyendo ha llegado ya el tiempo en que podamos dedicarnos a trabajar, para así procurar el mejoramiento de nuestras familias, el Gral. Talamante y yo hemos decidido solicitar licencia para separarnos del servicio, por algún tiempo, e ir a Michoacán a establecer un negocio de maderas. Para esto solicitamos su ayuda y al efecto le rogamos nos diga si podría ayudarnos con su influencia para que el Ferrocarril nos abra un crédito en la Monetaria de Morelia, por determinada cantidad.

Nuestro propósito es: disponiendo de fondos, ir luego a Michoacán a instalar un bien montado aserradero y entregar al mismo Ferrocarril, previo contrato, el mayor número de durmiente y maderas, que sea posible.

Como la instalación del aserradero y corte de (durmiente) maderas no requiere mucho tiempo, las cantidades facilitadas no tardarán en ser reintegradas, ya sea en efectivo o en productos.

El destino tenía otros planes. A fines de 1921 se designa a Cárdenas jefe de operaciones militares en el Istmo. La región vivía días inciertos y el gobierno requería tropas leales y eficientes. En Tehuantepec, Cárdenas acentúa gustoso el rasgo que su amigo Múgica llamaría "anarquía amorosa". Además de ganarse la voluntad de las lindas tehuanas, con su buen trato, se acerca a los comerciantes, vecinos y empleados de la zona, desde Oaxaca a Puerto México. Son éstos quienes *motu proprio* solicitan el ascenso

20

20. El suave general.

21

de Cárdenas por su "labor pacificadora". En esos días inicia la construcción de un hospital militar y escribe al general Calles pidiéndole el empleo de comandante del Resguardo de Salina Cruz para una persona de su absoluta confianza: su hermano Francisco. Calles, como era su costumbre tratándose del *Chamaco,* con quien –en sus palabras– "lo liga una sincera amistad", da curso a la recomendación.

En 1922 sigue la eterna mudanza. Ahora Cárdenas vuelve a Michoacán. Su amigo Múgica ha entrado en conflicto directo con el poder central. Sus medidas radicales, entre las que descuellan un incipiente reparto de tierras, un anticlericalismo fiero y una avanzadísima Ley del Trabajo, atizan el fuego hasta hacerlo lindar con la guerra civil. El ministro De la Huerta sugiere "la resurrección de Lázaro" como única vía para solucionar el problema, pero el presidente Obregón tiene otras ideas. A mediados de 1923 Cárdenas pasa de la Jefatura Militar del Bajío a la de Michoacán. Meses después recibe instrucciones de custodiar a Múgica hasta la ciudad de México. En el trayecto lo sorprende un telegrama de Obregón: "Suyo de hoy, enterado que el general Francisco J. Múgica fue muerto al pretender ser libertado por sus captores."

21. Celebra su onomástico el 17 de septiembre de 1921 en San Jerónimo, Oaxaca.
22-23. Obregón malquería a Múgica.

Imposible acatar la orden: Cárdenas no se da por enterado y propicia la escapatoria de su amigo.

A fines de 1923 estallaba la rebelión delahuertista. Obregón manda a Cárdenas hostilizar la retaguardia de uno de los generales más brillantes de la Revolución: Rafael Buelna, *el Granito de Oro*, que actuaba a las órdenes del general Enrique Estrada. El 12 de diciembre Cárdenas avanza con sus 2 000 jinetes tras la huella de Buelna que, más avezado, prepara un movimiento de atracción. Las instrucciones de Obregón han sido claras: hostilizar, no atacar. Pero en Huejotitlán Cárdenas cae en la trampa. Un oficial enemigo que tomó parte en la batalla –Alfredo Ávila y Valencia– narra los hechos:

22

> Cuatro días consecutivos fueron de tensión nerviosa en el ánimo de los hombres que formaban aquellas dos fuertes columnas enemigas entre sí; pasaron cuatro días de penosas fatigas a través de la sierra, en que maniobraban aquellos dos conjuntos de seres humanos próximos a destruirse, privados de los más necesarios elementos de vida, descansando si acaso horas muy contadas.
>
> Así llegó el 26 de diciembre, en que entraron en contacto aquellas dos falanges. El punto objetivo de la columna Buelna fue (...) Huejotitlán, Jalisco, cuya ranchería cuenta con un cerro de poca altura llamado "El León", que aun cuando carece de espacio suficiente para maniobrar una fuerte columna se le consideró como principal posición (...) La columna de Cárdenas estaba calculada en dos mil hombres e integrada con todos sus efectivos (...) Igual contingente integraba la de Buelna.
>
> Según tuve conocimiento, la caballería de Buelna tomó contacto con la columna Cárdenas como a las doce del día y la infantería que había quedado descansando en Concepción de Buenos Aires, se presentó en el campo de combate como a las tres de la tarde y puede decirse que ella decidió la acción, porque en honor a la verdad, la resistencia magnífica que presentó la columna Cárdenas hizo fracasar a la caballería de Buelna en todos sus ataques y obligó al general Buelna a modificar varias veces sus planes. (...)
>
> La lucha fue muy reñida. La caballería de Buelna estaba en situación difícil aproximadamente como a las tres de la tarde. La Infantería, con su presencia, levantó el ánimo. El 24 Batallón venía rezagado y el 37 hizo entrar a la línea principal su sección de ametralladoras y dos compañías para proteger con su fuego otras dos del mismo Batallón que al mando del que habla, obedeciendo órdenes superiores, ascendían el cerro de "El León", intentando un ataque sobre el flanco izquierdo del frente Cárdenas, a la vez que por el flanco derecho y en dirección a

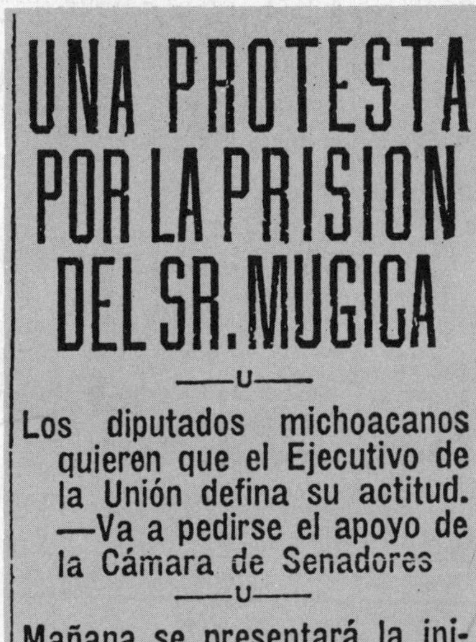

UNA PROTESTA POR LA PRISION DEL SR. MUGICA

—U—

Los diputados michoacanos quieren que el Ejecutivo de la Unión defina su actitud. —Va a pedirse el apoyo de la Cámara de Senadores

—U—

Mañana se presentará la iniciativa, si hay sesión.—El general Múgica acudirá a la Suprema Corte quejándose de atentados

—U—

Según declaración que nos hizo ayer tarde el señor licenciado Daniel Benítez, Subsecretario de Gobernación, el Gobernador Interino del Estado de Michoacán, don Sidronio Sánchez Pineda, comunicó ya oficialmente a dicha Secretaría la captura del señor general Francisco J. Múgica.

—¿Y qué actitud va a asumir el Ejecutivo Federal en este caso? —preguntamos.

—Nada tiene que ver el Ejecutivo con el asunto político de Michoacán, pues la resolución de éste es de la exclusiva competencia de las autoridades locales.

Y agregó el funcionario: que probablemente el día de hoy quedará en libertad el señor general Múgica, pues que siendo el delito que se le imputa, el de usurpación de funciones, conforme a la ley está en aptitud de solicitar su excarcelación bajo [illegible].

23

VITRINAS
Mostradores, estantes, anaquelería, roperos, etc., fabricados por
GRAND RAPIDS SHOW CASE COMPANY
GRAND RAPIDS, MICH., E. U. A.
Representados por
SUCS. DE SAMUEL W. WALKER, S. A.
2a. Acapulco 37, México, D. F., México

EL UNIVERSAL
EL GRAN DIARIO DE MEXICO.

LAMPARAS para BOLSILLO
LAMPARAS para idem..... Marca "BRIGHT STAR"
L. ROBINSON
MATERIAL ELECTRICO
Esq. Gante y 16 Sep. México, D. F.

AÑO VIII.—TOMO XXIX | Gerente LIC. MIGUEL LANZ DURET | MEXICO, D. F., VIERNES 7 DE DICIEMBRE DE 1923 | Director JOSE GOMEZ UGARTE | Registrado como artículo de segunda clase el 13 de noviembre de 1918 en la Administración de Correos de México | NUMERO 2,802

REBELION EN VERACRUZ

SENSACIONALES REVELACIONES

LA RUPTURA ENTRE DE LA HUERTA Y EL GRAL. CALLES

El General Ignacio Enríquez narra pormenorizadamente sus amistosas gestiones ante los candidatos

La noticia que aparece hoy (5 de diciembre) en EL UNIVERSAL, relativa a que uno de los incidentes de mis gestiones tendentes a solucionar la actual contienda política, fue la proposición que hizo el señor De la Huerta de que se retirasen de la lucha él y el Gral. Calles, me obliga a hacer la siguiente aclaración, antes de iniciar el amplio informe que estoy preparando sobre tan importante asunto.

Efectivamente, el señor De la Huerta proponía por mi conducto, que ambos candidatos se retirasen de la lucha, y el señor Gral. Calles manifestó, que para tomar en consideración dicha proposición, necesitaba que el señor De la Huerta la hiciese públicamente, para que comprometido en esa forma, ante la Nación, se viera obligado a cumplirla, pues que no creía en la sinceridad del señor De la Huerta. Al insistir yo con este señor en que hiciese dicha publicación, me manifestó que no lo creía "político", que sin embargo lo pensaría y me exigió le prometiese que mientras tanto, ese asunto quedaría absolutamente entre nosotros.

Sin embargo de este último convenio, hace como diez días se me pre-

EL GRAL. FIGUEROA DEPONDRA SU ACTITUD REBELDE

Una comisión de guerrerenses, ante el conflicto surgido en el Estado de Guerrero por el levantamiento del General Rómulo Figueroa, fue a conferenciar con éste, en Teloloapan, haciéndole ver lo inconveniente de su actitud en los actuales momentos.

El General Figueroa se manifestó dispuesto a deponer su actitud, en vista de que su rebelión era solamente contra el gobierno local, cosa que comunicó a la Secretaría de Guerra, agregando estar dispuesto a ir con sus fuerzas a Toluca para que allí fueran licenciadas, con la única condición de que no se siguiera ninguna acción contra él y se leconcediera licencia ilimitada para separarse del Ejército.

El señor Presidente de la República se manifestó conforme con ésto, por lo que ha terminado ya la rebelión en Guerrero.

CUATROCIENTOS TREINTA Y DOS MILLONES DE PESOS EN CIRCULACION

Interesante información acerca de las cantidades que en diversos metales ha venido acuñando la casa de Moneda

LO QUE DICEN LOS TRATADOS ENTRE MEXICO Y E. UNIDOS

En nada empañan el decoro de nuestro país los acuerdos a que dieron forma las convenciones de Bucareli

Ayer, a las once y media de la mañana y en la oficina del Oficial Mayor de la Cámara de Senadores, el señor Reed, que ocupa ese puesto, dió lectura en presencia del senador licenciado Teófilo H. Orantes, Presidente del Senado, a los pliegos que contienen los tratados o convenciones celebrados el mes de mayo del presente año entre los Delegados norteamericanos señores Warren y Payne y los Delegados mexicanos señores Ross y González Roa.

Cuando el señor licenciado Orantes, Presidente de la Cámara de Senadores, escuchó la última parte de la larga lectura de los documentos que firmaron los Delegados de los dos países, hizo estos comentarios:

El señor Presidente de la República, por conducto de los señores Ross y González Roa, ha celebrado un tratado patriótico con el Gobierno de los Estados Unidos. Este asunto no tiene la importancia que se le suponía. Ni se comprometió la integridad del país, ni se menciona el Artículo 27 constitucional ni el 123, ni se alude a concesiones en la Baja California, ni, en su-

COMBATIRE LA ANARQUIA SI LLEGA A PRESENTARSE

Así dijo el Sr. Presidente, agregando que proseguirá el desarrollo del programa social que se ha trazado

Unicamente para EL UNIVERSAL
CELAYA, Gto., diciembre 6.—Con fecha de ayer el señor Presidente de la República hizo hoy a los representantes de la prensa importantes declaraciones; Procuraré, con la mayor fidelidad posible, resumirlas.

"Yo tengo la seguridad de que México dará un alto ejemplo de civismo, y de que la transmisión pacífica del poder será una realidad. No creo ni remotamente que haya posibilidad de una revolución, porque ésta no contaría con el apoyo del verdadero pueblo, que lo integran las clases populares en general; puesto que el Gobierno ha hecho todo cuanto ha estado a su alcance para beneficio de ellas. Por otra parte, está probado que en México las revoluciones no prosperan sin contar con la simpatía de las clases rurales.

Habrá posiblemente pequeños brotes de revolución, como los ha habido durante los tres años que han pasado de mi Gobierno; pero éllos nada significarán para la paz pública, porque el verdadero pueblo, que constituye mayoría en número y en acción, sigue prestando su ayuda al Poder Público de la Na-

SE PIDE A LOS PARTIDOS EN PUGNA QUE SE IMPIDA LA GUERRA

Anoche circuló la siguiente convocatoria al pueblo de México:

"A punto de iniciarse una nueva contienda civil que ensangrentaría una vez más el territorio nacional, es urgente que el pueblo exprese vigorosamente sus sentimientos contrarios a la guerra fratricida y en imponente manifestación pida a los partidos en pugna, en nombre de la Patria, se impida la guerra.

"Se convoca al pueblo para esta noche, a las seis en punto, frente al hemiciclo de Juárez.—Lic. Francisco Lagos Cházaro, Ing. Fortunato Dozal, José Nieto, Ing. Enrique Zepeda, Ignacio I. Gastelum, Lic. José Morfín y Delorme, Alberto Cárdenas, Manuel Amieva, Dr. Mariano García Sepúlveda, René Capistrán Garza, Lic. Miguel Palomar y Vizcarra, Lic. Moisés García, Rafael Sosa, Guillermo Pous, Lázaro García, Miguel Nájera, Lic. E. Martínez de la Garza.

LA LUCHA POR LA MESA DE LA CAMARA DE DIPUTADOS

Los cooperatistas afirman que la llevarán adelante hasta el triunfo o la derrota

El Gral. Guadalupe Sánchez Se Levantó en Armas Contra el Gobierno

Aquel Jefe Militar, Afirma el Primer Magistrado, Encabeza una Asonada que Nunca Podrá Justificar

Fuertes Efectivos Militares se Concentran Para Enviarlos Violentamente al Estado, a Fin de Batir a los Rebeldes.-Se Trata de Establecer una Verdadera Línea de Circunvalación.-Las Tropas de Orizaba y Tuxpan Permanecen Fieles

Es un hecho cierto, oficialmente comunicado a uno de nuestros redactores, primero por el señor Secretario de Gobernación licenciado don Enrique Colunga, y después por el Secretario de Guerra y Marina, general Francisco R. Serrano, que el general Guadalupe Sánchez, Jefe de las Operaciones Militares en el Estado de Veracruz, se rebeló anteayer contra el Supremo Gobierno de la Nación.

Desde anteayer noche circularon los primeros rumores sobre tal levantamiento; y acogidos por nosotros con las reservas del caso, acudimos a las

mensaje en que sirve comunicarme los sucesos ocurridos en Veracruz, y a pesar del quebranto de mi salud, salgo inmediatamente para esa capital, para dictar desde allí todas las medidas que sean necesarias para sofocar la asonada que algunos militares por su ignorancia y desconocimiento de lo que significa el honor militar, han iniciado contra los Poderes de la Unión y contra las instituciones que nos rigen.

Hace algún tiempo que el general Guadalupe Sánchez, demostró

24

la laguna Atoyac, se intentaba otro movimiento igual, sólo que por dos escuadrones del 33 Regimiento al mando del teniente coronel Arturo Chávez "El Mochito". Como a las cinco de la tarde se presentó en el campo el 24 Batallón, que desde luego reforzó con una parte de sus contingentes a las líneas del frente y flancos. Los choques habidos en los ataques de flancos fueron reñidísimos, haciendo los defensores honor a su pericia y valor; no hubo un solo oficial o soldado de las líneas Cárdenas que no defendieran palmo a palmo su terreno con toda bizarría; las trincheras pasaban alternativamente de unas manos a otras como si estuvieran en una competencia olímpica, hasta que al fin fueron quedando en poder de las filas Buelna.

Como a las nueve de la noche, poco más o menos, se encontraron en lo más alto del cerro los tenientes coroneles Chávez y el que esto escribe. El primero propuso al segundo hacer un último esfuerzo efectuando un asalto combinado con fuerzas de ambas corporaciones, 24 Regimiento y 37 Batallón, siguiendo a uno y otro lado de una cerca de piedra que llegaba hasta juntarse en forma de cruz, con otra que constituye uno de los costados de un tecorral, último reducto de la columna Cárdenas, cuyo punto se defendía denodadamente. Los preparativos se hicieron desde luego. Chávez se retiró a su sitio para mover sus elementos y yo hice otro tanto, pero con la mala suerte de que

24. Cuento de nunca acabar.

en el primer intento fui herido y en vista de la fuerte hemorragia me vi obligado a retirarme a la sección médica, (...) un oficial (que) me acompañó informé debidamente al coronel Márquez de la situación de aquel punto y del asalto que efectuaría Chávez, quien a su vez lo participó al general Buelna, que desde ese momento quedó pendiente del resultado.

Momentos después de haber cesado el fuego, el teniente coronel Chávez se presentó al general Buelna con objeto de informarle sobre el resultado final: "El general Cárdenas gravemente herido reducidos al mínimo sus elementos, con el general Paulino Navarro muerto en la acción, agotadas por completo las municiones e imposibilitado para recibir refuerzos daba por terminada la sangrienta jornada."

Navarro había tratado de convencer a Cárdenas de "tocar parlamento", a lo que éste había replicado: "No hay por qué parlamentar, mi general, sosténgase hasta ver el resultado final." Al recibir la noticia de que Cárdenas estaba herido, Buelna envió al general Arnáiz en su busca. Los biógrafos Weyl narran la escena:

El general derrotado estaba tendido en un pequeño catre de campaña, tras de una cerca de piedra, demudado, cubierto de sangre. Sin lanzar queja alguna, se apretaba el vientre, donde tenía terrible herida.

–¿Con quién tengo el gusto de hablar? –interrogó Cárdenas, interrumpiendo a Arnáiz.

–Con el Gral. Arnáiz –contestó éste.

–Perdone, compañero, que me encuentre en esta situación pero creo que estoy bien... –dijo Cárdenas, haciendo un visible esfuerzo por incorporarse.

–Es cosa que todos lamentamos, mi general –agregó Arnáiz.

–Gracias, quisiera hablar con Buelna antes de morir. Quiero que como soldado y como caballero me prometa que mi gente será respetada. Todos no han hecho otra cosa que cumplir con su deber y con mis órdenes. Yo soy el único responsable; y adviértale que dispone de mi vida.

El Gral. Cárdenas estaba muy fatigado después de haberse desangrado durante 8 horas sin recibir atención médica, ya que desde el primer asalto de los rebeldes los federales habían perdido su botiquín.

Los designios de Buelna y de su jefe Estrada eran otros. El primero dispuso que Cárdenas fuese transportado cuidadosamente desde la cumbre del cerro donde se hallaba hasta el cuartel general. Había recibido a su vez órdenes telegráficas de Estrada en el mismo sentido.

CORREN YA TRENES DE PASAJEROS EN LA DIVISION DE GUADALAJARA

—U—

En la Dirección General de los Ferrocarriles Nacionales de México se nos informó que el tráfico hacia el Norte del país, sigue haciéndose sin novedad. Los trenes para Laredo, Ciudad Juárez, Matamoros y Tampico estuvieron corriendo sin novedad.

Por lo que hace a la División de Guadalajara, han comenzado a correrse trenes de pasajeros entre Irapuato y Pénjamo y se ha abierto al tráfico normal el ramal de Pénjamo a Ajuno.

Se nos informa que en el ramal de Yurécuaro a Los Reyes la vía ya está expedita, y que los trenes militares están llevando la correspondencia dirigida a los puntos intermedios.

MINEROS CALIFORNIANOS HARAN INVERSIONES EN SONORA

—U—

Nuestro Agente Comercial en San Francisco comunicó ayer a la Secretaría de Industria, que en vista de que en el Estado de Sonora no ha llegado a alterarse la tranquilidad, en el curso de la semana va a salir de aquel puerto una comisión de ingenieros téc-

25

EL AVANCE SOBRE GUADALAJARA

Preguntamos ayer en la Secretaría de Guerra acerca del avance de las tropas del Gobierno sobre la plaza de Guadalajara y se nos dijo que por la vía del ferrocarril no se han realizado nuevos movimientos en virtud de no haberse terminado las reparaciones de los puentes que incendiaron los rebeldes del general Estrada.

El señor Secretario de Guerra cree que dentro de unos seis o siete días habrá quedado totalmente reparado el puente de Ocotlán.

Sigue en Zacoalco el general Lázaro Cárdenas. Los movimientos se harán de acuerdo con las órdenes que personalmente y sobre el campo de operaciones dictará el señor Presidente de la República.

26

25-26. No obedeció puntualmente las órdenes de Obregón...

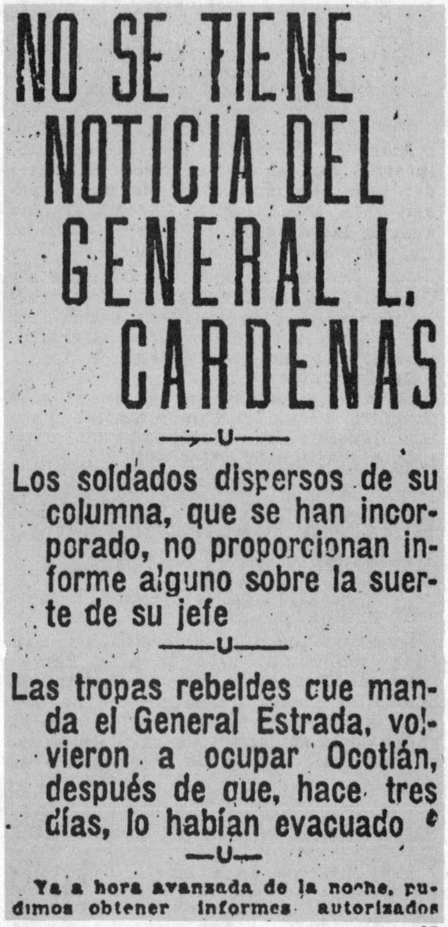

NO SE TIENE NOTICIA DEL GENERAL L. CARDENAS

Los soldados dispersos de su columna, que se han incorporado, no proporcionan informe alguno sobre la suerte de su jefe

Las tropas rebeldes cue manda el General Estrada, volvieron a ocupar Ocotlán, después de que, hace tres días, lo habían evacuado

Ya a hora avanzada de la noche, pudimos obtener informes autorizados

27

El general Buelna –recuerda Ávila– ordenó que se le hicieran las primeras curaciones al general Cárdenas, habiéndole tocado atenderlo al mayor médico del 37 Batallón que estaba recientemente incorporado procedente de Aguascalientes. Éste hizo un minucioso examen y se dio cuenta de la gravedad de la herida, pues la bala había perforado la cavidad torácica y producido derrames internos sumamente peligrosos, y en seguida informó al general Buelna y en presencia del que habla le manifestó que el caso era sumamente difícil y podría esperarse un desenlace fatal, y el general Buelna contestó poco más o menos en los siguientes términos: "Usted me responde personalmente de la vida del general Cárdenas, que pongo en sus manos, si es necesario trasladarlo a Guadalajara, que se haga inmediatamente." A continuación ordenó que se alistara una máquina y un carro especial para el desempeño de aquella delicada misión.

Al llegar a Guadalajara Cárdenas fue internado en el hospital del doctor Carlos Barriere, donde recibió el cuidado del doctor Alberto Onofre Ortega. Este médico, masón como ya lo eran el propio Cárdenas y su contrincante Buelna, atribuía la salvación de Cárdenas justamente a los sentimientos de solidaridad masónica. Lo más probable es que en la actitud de Estrada y Buelna hayan influido motivaciones más llanamente humanitarias. Conocían la

28

nobleza de Cárdenas, su repulsión hacia los excesos sangrientos, su limpia trayectoria, su juventud. ¿Quién no lo quería? No sólo el general Calles le envía "un saludo cariñoso lleno de satisfacción por saber que se encuentra bien": en la convalecencia se entera de que las señoras devotas de Jiquilpan, creyéndolo muerto, habían "organizado rogativas públicas para que resucitase". Al poco tiempo la suerte cambia de pronto los papeles y Cárdenas puede disponer en Colima de la vida de Estrada. No lo hace, desde luego, sino que paga la deuda franqueándole la salida al exilio. Igual hubiese hecho con el malogrado Buelna de haber estado en sus manos. ¿Conoció Obregón los actos nobles de aquel subordinado, a quien consideraba "cumplido pero incompetente"? En todo caso, más le importaba a Cárdenas la opinión de gente sencilla de Jiquilpan como Vicente Otero:

> Tu sabes que soy un hombre rudo que no conose palabras rumbosas y ni tampoco sabria acomodarlas; pero tambien sabes que soy franco y sincero, por cuya rason creo que no dudaras de la puresa de mi felicitacion por haber sanado de tan gloriosa herida, como por haber recobrado tu libertad sin que hubieras empañado en lo mas mínimo tu brillante hoja de servicios.
>
> Sin ser hipócrita, te manifiesto que un grupo de amigos tuyos, bamos proscimamente á Totolan, á visitar á la guerita de los Remedios en donde se le cantara una misa diaconada á toda orquesta, en acción de gracias por haber escuchado nuestros ruegos. Si alguna vez, tocas nuestro pueblo tan querido, tendre á mucha honra aceptes ésta humilde casa que está y estará siempre, a tu dispocicion.

No tardaría en tocar aquella puerta. Jiquilpan lo recibió de plácemes y Cárdenas correspondió–en su carácter de jefe de Operaciones en Jalisco– con la creación de una escuela y el hermoseamiento de la plaza. El 24 de marzo había ascendido a general de brigada.

El 1o. de marzo de 1925, a sabiendas de que la inminente Ley del Petróleo provocaría reacciones imprevisibles de las compañías petroleras, el presidente Calles designa a su fiel *Chamaco* jefe de Operaciones Militares en las Huastecas y el Istmo, con cuartel general en Villa Cuauhtémoc, Veracruz. Allí permanecería tres años. Al poco tiempo recibe una noticia que lo entusiasma: su viejo amigo el general Múgica, separado por un tiempo del ejército, se ha asociado con Luis Cabrera para explotar una pequeña concesión petrolera en la zona. Llegaría a Tuxpan, a mediados de 1926.

Calles había sido el maestro militar y político de Cárdenas, que admiraba en aquél su fortaleza, su claridad de propósitos pero,

27. ...de allí la derrota.
28. En Guadalajara fue internado en un hospital.
29. Estrada y Buelna lo hacen prisionero, pero le salvan la vida.

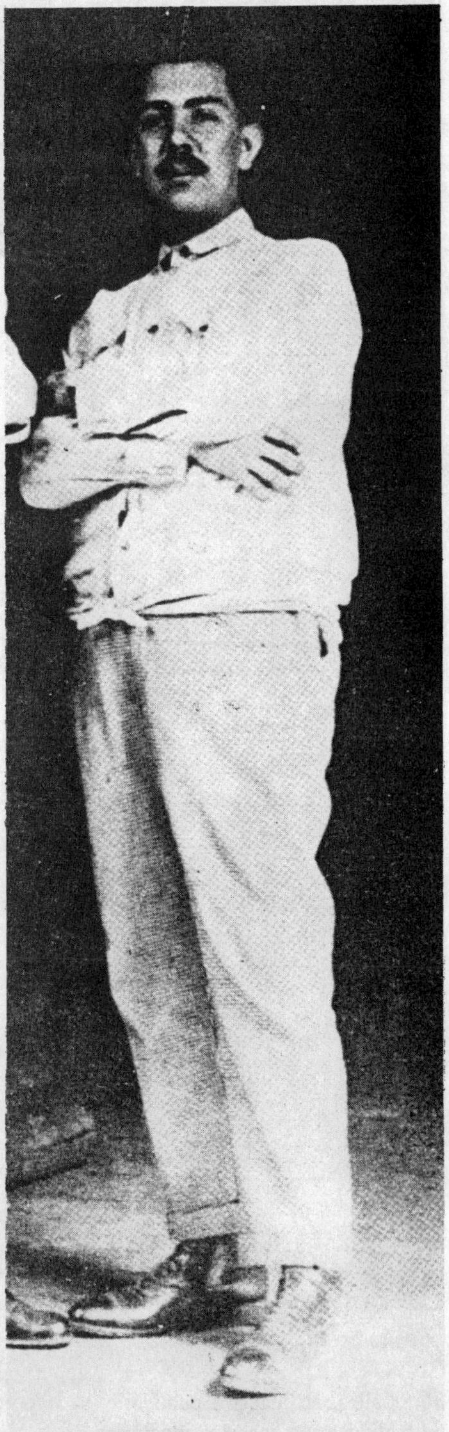

29

30

31

30. Calles, su maestro político.
31. Múgica, su maestro ideológico.

sobre todo, su reformismo radical en la gubernatura de Sonora. Lo había visto discurrir y poner en vigor un alud de decretos: agrarios, laborales, fiscales, anticlericales, jurídicos, antialcohólicos, educativos, nacionalistas, socialistas. Pero ocupado con el trajín de la guerra, Cárdenas había carecido del maestro ideológico. Lo encontró en Múgica: nuevo regalo de la Providencia.

Once años mayor que Cárdenas y nativo de Tingüindín, Múgica era un hombre de pequeña estatura pero ágil, nervioso y fuerte. Tenía algo de ardilla en la expresión. Había llegado hasta el nivel de teología en sus estudios como alumno externo en el seminario Diocesano de Zamora, pero "causas justificadas" obligaron al rector Leonardo Castellanos a expulsarlo. Después de asimilar hasta el tuétano el ideario social cristiano, gracias a la prédica del padre Galván, Múgica había decidido en algún momento cambiar el credo cristiano por el socialista. La Revolución le cae de perlas: es firmante del Plan de Guadalupe, participa en el primer reparto de tierras –que ejecutó Lucio Blanco, en la hacienda de Los Borregos–, se integra al gobierno de Carranza en Veracruz, ensaya medidas radicales en Tabasco y –en su hora cumbre– es, junto con Andrés Molina Enríquez, el alma ideológica de los artículos radicales de la Constitución de 1917. Su radicalismo anticlerical hacía palidecer al de los sonorenses –que ya era decir– y llegó, como se ha visto, a malquistarlo con Obregón.

Este hombre singular, no desprovisto de talento literario, era, según se recordará, viejo conocido de la familia Cárdenas. Al reencontrar a su joven amigo, y en los muchos viajes que emprenden juntos por el Pánuco hasta Tampico, por San Luis, Tuxpan, El Tajín o Tierra Blanca, Múgica tiene oportunidad de devolverle los varios favores que había recibido de él en aquella azarosa gubernatura michoacana. Lo hace sometiéndolo a un aleccionamiento convincente: "el socialismo como doctrina adecuada para resolver los conflictos de México". Múgica no comparte con Cárdenas su pasión por Baudelaire o su pasmo luego de visitar a la viuda del poeta Othón. Quizá tampoco lee en voz alta las páginas más literarias de su diario, las espléndidas acotaciones sobre la Huasteca de naturaleza africana: insectos, plantas, huapangos, santuarios, costumbres. Aplaude, eso sí, la "anarquía amorosa" de Cárdenas; como él, se enamora de bellezas "esbeltas, blancas, cimbradoras"; y cada vez que puede señala a su pupilo los estragos de la religión:

> La acción católica, más perniciosa en el hombre que en la mujer, ha matado los arrestos viriles de estos potosinos de rancio abolengo. Todos encogidos van por la calle doliéndose de la situación, dolidos del culto en suspenso...

Hacia 1926, y gracias a Múgica, Cárdenas leía a Gustavo Le Bon y a un autor un tanto más marxista: Carlos Marx. También su jefe de estado mayor, Manuel Ávila Camacho, le proporcionaba lecturas de la Revolución francesa. Pero ningún libro se equiparaba al privilegio de tener a la mano al primer ideólogo de la

32. Tampico, su escenario a mediados de los veintes.
33. Lo hojeaba.
34. Gustavo Le Bon, autor leído por Múgica.

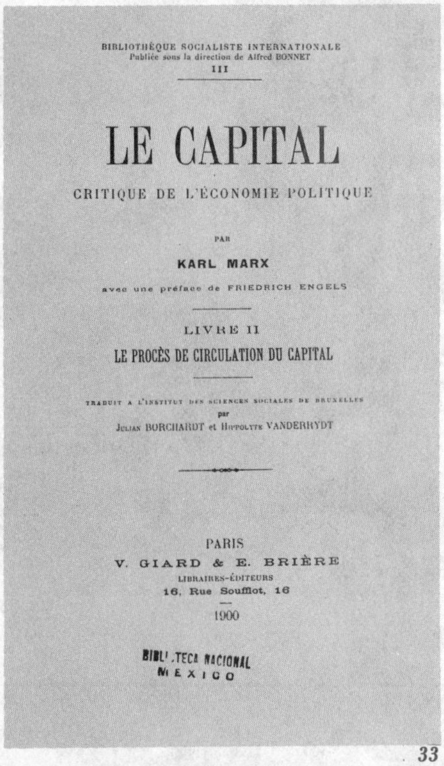
BIBLIOTHÈQUE SOCIALISTE INTERNATIONALE
Publiée sous la direction de Alfred BONNET
III

LE CAPITAL

CRITIQUE DE L'ÉCONOMIE POLITIQUE

PAR

KARL MARX

avec une préface de FRIEDRICH ENGELS

LIVRE II

LE PROCÈS DE CIRCULATION DU CAPITAL

TRADUIT A L'INSTITUT DES SCIENCES SOCIALES DE BRUXELLES
par
JULIAN BORCHARDT et HIPPOLYTE VANDERRYDT

PARIS
V. GIARD & E. BRIÈRE
LIBRAIRES-ÉDITEURS
16, Rue Soufflot, 16

1900

33

32

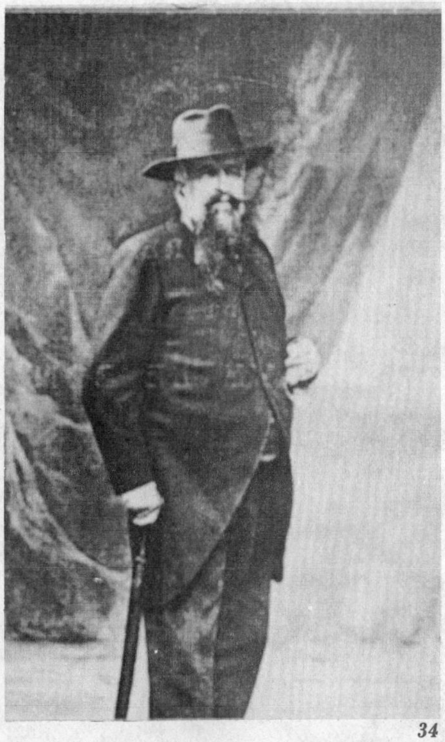
34

35

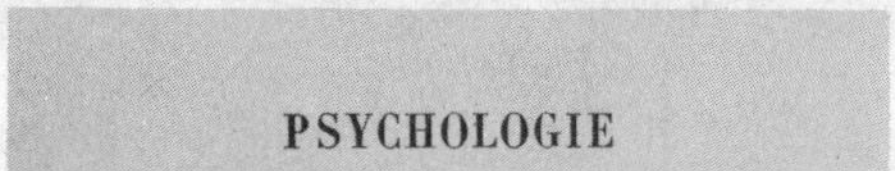

PSYCHOLOGIE

DU

SOCIALISME

PAR

GUSTAVE LE BON

335
L.I.B.
1920

Huitième mille.

LES THÉORIES SOCIALISTES ET L'ÉTAT MENTAL DE LEURS ADEPTES.
LE SOCIALISME COMME CROYANCE.
LE SOCIALISME SUIVANT LES RACES.
LE CONFLIT ENTRE LES NÉCESSITÉS ÉCONOMIQUES.
LES IDÉES DÉMOCRATIQUES ET LES ASPIRATIONS SOCIALISTES.
L'ÉVOLUTION DES SOCIÉTÉS MODERNES.
LES DESTINÉES DU SOCIALISME.

PARIS
LIBRAIRIE FÉLIX ALCAN
108, BOULEVARD SAINT-GERMAIN, VI°

1920

Tous droits de reproduction, de traduction et d'adaptation réservés pour tous pays.

BIBLIOTECA NACIONAL
MEXICO

36

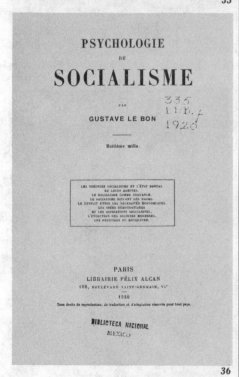

35. Ávila Camacho, al centro, le platicaba de la Revolución Francesa.
36. Lo hojeaba, también.

Revolución. Por eso, el 5 de febrero de 1927 fue un día de fiesta en la Huasteca. Múgica apuntó en su diario:

> De pronto me alzo presuroso presintiendo gente en mi cuarto... Es, en efecto, mi huésped y amigo el General Lázaro Cárdenas que llega. Prende la luz y sale nuevamente... lo interrogo pero sale violento para volver con una inundación de personajes y música que atruena la estancia y un entusiasmo en todos que me aplasta... cien abrazos caen sobre mi azoramiento, gritos y vivas, Himno Nacional y el apoteosis: me dicen palabras de respeto que me conmueven. (...) generales de la 36a. Jefatura, muchos coroneles, oficiales, abogados, médicos, comerciantes, algunos árabes, todos amigos, llenaron mi corazón del dulce gozo de ser comprendido. Celebraban ellos el aniversario glorioso de la Constitución del 17 y recordaron que el Presidente de la Comisión de Constitución en el Constituyente de Querétaro estaba oscuramente aquí, en mi lecho de campaña, ajeno a los recuerdos, dormido como materia, y vinieron a llenar mi despertar de una lírica gloria... Volví a pensar de nuevo en esos años juveniles que supieron de mis luchas armadas, de las horas divinas que sufrí con el pueblo el azote tiránico de una oligarquía y la brutal ofensa de la represión del pensamiento libre.

Si no lo era ya, muy pronto la admiración se volvió mutua. Pocos retratos de Cárdenas serían equiparables al que Múgica escribió algún día de 1927:

> Lo encuentro construyendo. Ni oficinas, ni cuartel, ni casas para el mando de una Jefatura (que) tenía que haber en esta villa de pescadores a quienes ha dejado igual o peor la portentosa riqueza del petróleo. Las casucas de caña y teja casi en el pantano, sin alambreras protectoras o pisos de tierra o carcomidas baldosas, olientes a marisco que (se) seca al sol.
>
> El pueblo de hace un siglo, en una calle con pavimentos de bitumen. Era pues natural que el brioso michoacano pensara en hacer oficinas y campo militar. Allí lo encontré; generoso como siempre me trajo a su casa, me llevó a los campos petroleros, me paseó en las colonias de las compañías y me contó de su vida y de sus conflictos. Es sobrio y sencillo para comer como lo es para hablar; prudente como un viejo, cauto como un estadista, enérgico como un soldado, modesto como un hijo del pueblo y generoso y comprensivo con el dolor ajeno y las aspiraciones honradas del de abajo. Cada vez que penetro más en su fondo lo estimo mayormente y lo veo crecer de perfil en la vasta y pobre, de hombres buenos, entidad michoacana.

37

Para desgracia de Cárdenas, no todos sus superiores compar-
ían esa admiración por su espíritu pacífico y constructor. El mi-
istro de Defensa, general Joaquín Amaro, le escribía disgustado
l teniente coronel Ávila Camacho:

> Diga usted al General Cárdenas se preocupe un poco más por sus fuerzas, que un año es ya suficiente para que estuvieran bien instruidas, equipadas, etc., ahí está el 59/o. Regimiento, que nó es Regimiento, sin equipo y con caballada en pésimas condiciones; que hasta hoy viene a pedir armamento para el 61/o. Regimiento, cuando debería haberlo hecho desde hace tiempo, etc., y que usted está dispuesto a proporcionar todo los que solicite.

37. En la Huasteca.

38

39

A sabiendas de que la crítica llegaría a oídos del Presidente, Cárdenas respondió a Amaro con firmeza y comedimiento, exponiendo las limitaciones que padecía, las desatendidas peticiones que había hecho y una puntualización final:

> No descuidamos la instrucción de las fuerzas que se tienen en las matrices y las destacamentadas; se tienen establecidas las academias y conferencias con objeto de preparar la educación moral de las tropas; se está haciendo una labor intensa en las escuelas de tropa, combatiendo el analfabetismo, y el suscrito no está cinco días seguidos en este Cuartel General, sino constantemente estoy inspeccionando las Corporaciones.

Al recibir copia de la respuesta a Amaro, el Presidente escribe a Cárdenas: "Siempre he tenido y tengo un alto concepto de su actuación militar." Meses más tarde, en septiembre de 1926, Cárdenas le da un motivo adicional de confianza: al haber "positivo interés en terminar con la amenaza de (la) tribu (yaqui), reacia a la civilización", ofrece sus servicios para "tener el honor de servir en esa Compañía".

Con todo, su aprendizaje mayor en la región no lo debió a la lectura de textos ideológicos ni a la prédica de Múgica sino a la observación directa del comportamiento de las compañías petroleras. Pasados los años, recordaría vívidamente una escena:

> En una ocasión que cruzamos con el general Múgica por los campos petroleros de Cerro Azul y Potrero del Llano, nos vimos detenidos en las puertas de las compañías que cerraban los caminos, y fue después de una hora de espera que llegaron sus guardias a abrirnos el paso. Y esto le ocurría al propio comandante de la Zona Militar.

Las compañías hacían alarde de contar "con apoyos poderosos", sintiéndose en "tierras de conquista". Defraudaban al fisco haciendo uso de instalaciones subterráneas conectadas al puerto. Nada bueno habían dejado en los lugares de explotación: ni una escuela, ni un teatro, ni un hospital. Sólo yermos. A los pocos días de la llegada de Cárdenas a la zona habían tratado inútilmente de sobornarlo con 50 000 dólares y un lujoso *Packard* a la puerta. De todo ello y más hablaban Cárdenas y Múgica en sus recorridos por la zona. Múgica se dolía de la suerte de Cerro Azul: "Maravilla de la tierra mexicana que enriquece a otras tierras." Cárdenas le relataba el conflicto que había tenido que sortear días después de su arribo a Villa Cuauhtémoc.

El incidente había ocurrido en mayo de 1925. Dos sindicatos se disputaban el contrato de la Huasteca Petroleum Co.: el Sindi-

40

ato Único, patrocinado por la empresa, y el del Petróleo, de rigen y dirección independientes. En una riña intergremial había erdido la vida un miembro del sindicato libre. A instancias de la Compañía el Presidente manda al general Cárdenas dar a ésta oda clase de garantías. El sindicato agraviado declara un paro. Días después, en conferencia con el Presidente, Cárdenas sostiene ue "el mayor número de agremiados los tiene el Sindicato Petro-ero" y que sus "directores", aunque "incompetentes para dirigir a cuestión social (...) han obrado de buena fe". En cambio, en los el Sindicato Único "se respalda a la compañía para contrarrestar as peticiones de los del Petróleo". Para zanjar la pugna, Calles ropone volver al *status quo* anterior, el arbitraje federal y la po-ible fusión de los dos sindicatos, pero míster Green, director de a Compañía, se opone a los tres puntos. Su oferta es indemnizar e acuerdo con la ley a los obreros huelguistas que considere ecesario. El Presidente contrapropone en términos suaves que ncluyen alguna sanción a los rijosos del Sindicato Único, previo rbitraje del general Cárdenas. El conflicto termina por resolverse arcialmente tiempo después, sin la satisfacción de ninguna de sus artes ni la intervención federal.

38. Múgica tenía algo de ardilla en la mirada.

39. Los petroleros: un estado dentro del Estado.

40. Se ríe.

4

42

Tras releer la relación de los sucesos Múgica apunta su conclusión al respecto:

> El afán del Centro de intervenir en cualquier asunto de importancia de los estados ha ocasionado el fracaso del Ejecutivo, protesta del estado de Veracruz y el envalentonamiento de las compañías petroleras, varios homicidios y riñas entre gremios obreros y daños sin cuento. Los huelguistas son fuertes y tienen razón. La Huasteca es una empresa que no respeta las leyes del país, tiene procedimientos inmorales en su explotación y predomina en la región.

Por su parte, Cárdenas acariciará desde entonces la idea de expulsar a las compañías petroleras del suelo mexicano y abolir la existencia de aquel "Estado dentro del Estado."

41. En la Huasteca, con su estado mayor.
42. Momentos de solaz. Río Tamesí, Tamps. 1926.

Michoacán: ensayo de un gobierno

LA DISTINCIÓN de Octavio Paz entre revuelta, rebelión y revolución tuvo en México una confirmación geográfica y cultural: el Morelos zapatista aportó la revuelta, el reclamo violento del subsuelo indígena, la voz del pasado. El Norte aportó la rebelión, la imposición igualmente violenta de un proyecto moderno, la voz del futuro. Pero fue Michoacán, asiento del México viejo, el estado que convirtió la lucha en "un cambio brusco y *definitivo* de los asuntos públicos". "Ungida por la luz de la idea –escribe Paz–, la Revolución es filosofía en acción, crítica convertida en acto, violencia lúcida." Dos michoacanos típicos, un ideólogo y un político, transformaron revuelta y rebelión en Revolución: Francisco J. Múgica y Lázaro Cárdenas. Del primero fue la idea, la crítica, la filosofía, la luz y la lucidez. Del segundo, los actos plenos e irreversibles.

Michoacán no había sido teatro siquiera secundario de la lucha militar, pero desde principios del siglo XVIII y durante todo el XIX había sido escenario mayor de otra querella: la de las ideas y las

43

43. Con su familia.

44

conciencias. "Morelia la doble –escribía en 1927 Múgica–: heroica en tu plebe, reaccionaria en tu élite." No sólo en Morelia sino en todo Michoacán la gente creía y asumía la dualidad. "Católicos de Pedro el Ermitãño y jacobinos de época terciaria" se odiaban los unos a otros, pero no con buena fe. Ambos igualmente celosos, anverso y reverso de la misma moneda, disputaban, con odio teológico, sobre cuestiones de este mundo.

45

En cuestiones de ideología social los católicos habían tomado la iniciativa desde principios del siglo XX. La encíclica *Rerum Novarum* de León XIII prescribía salarios justos, asociaciones mutualistas, cajas de ahorro y subdivisión de la propiedad agraria. En 1906, en la piadosísima ciudad de Zamora tiene lugar un congreso agrícola en que sacerdotes y terratenientes deliberan sobre estos temas. Siete años más tarde se celebra la Gran Dieta de la Confederación de Círculos Obreros de México, organización fundada en 1912 que a la sazón contaba ya con 50 agrupaciones y 15 339 miembros. Allí se oyeron discursos reivindicadores del obrero junto con anatemas al individualismo liberal y al socialismo. "La hartura de democracia tiene embriagado al pueblo mexicano", manifestó un prelado, pero sus efectos nocivos no eran comparables a los del "monstruo que clava sus garras en el corazón de la Patria (...) el terrible azote (...) el cáncer: el socialismo". "Los socialistas –decía la prédica–, con astucia infernal pretenden pervertir el entendimiento del pueblo con funestos errores y corromper su corazón con el odio de clases (...) (lo representan) maestros con pretensiones de redimir a la humanidad." La conclusión de los católicos era dual, como en la frase de Múgica: "El futuro será socialista o católico: no hay medios." En los años veinte, los obispos michoacanos pasarían de modo aún más vigoroso a la acción: organizan reuniones sobre temas agrarios, fundan sindicatos, revitalizan su sistema escolar. Están, no cabe duda, en pie de guerra.

El lado opuesto, el del "monstruo", no es menos activo, proselitista e intolerante. Muchos de los militantes en el gobierno radical de Múgica habían vivido en Veracruz hacia 1915. Uno de ellos recuerda su experiencia:

> Pronto hicimos contacto con demagogos y agitadores del puerto. Herón Proal, un sastre remendón que, andando el tiempo, llegó a ser famoso líder local (...) nos relacionó con ellos y con toda una serie abigarrada de extranjeros que llegaban al país de contrabando. En su taller, que frecuentemente visitábamos, conocimos toda una colección de tipos terribles: anarquistas, nihilistas, ateos, etcétera, procedentes de Italia, Cuba, Cataluña y principalmente de Rusia.

Con su pequeño ejército de jóvenes radicales, pero sin una base social que lo sustentara, en su breve gestión como gobernador del estado, Múgica había intentado el reparto de tierras y la emisión de una avanzada Ley del Trabajo que regulaba desde las faenas del campo hasta las domésticas. Habían pasado apenas los tiempos en que el general Amaro convirtiera en oficinas públicas las privadas del obispo de Zamora (cerrando escuelas, asilos y seminarios a su paso), cuando los fervorosos vecinos de la zona se enteraron de que la labor "desfanatizadora" era activada oficialmente por el gobierno de Múgica. Por si fuera poco, en diciembre de 1922 un líder vinculado al Partido Comunista, Primo Tapia, funda la Liga de Comunidades y Sindicatos Agrarios de la Región de Michoacán. Su objetivo es un agrarismo radical. Aunque Tapia caería asesinado en abril de 1926, la agitación –del campo y la ciudad, agraria y sindical–, azuzada muchas veces por maestros y líderes mugiquistas, siguió hasta confundirse con una efervescencia mucho más grave y generalizada: la de la Cristiada. En Michoacán, en suma, la querella entre la Iglesia y el Estado no era sólo cuestión de ideas sino de bases sociales que las apoyaran. La Iglesia hablaba de grey; el Estado, de masas.

En este escenario de la más antigua e intensa guerra ideológica, con el águila de general de división en el quepis y con escasos 32 años, Lázaro Cárdenas inicia su gira como candidato único a la gubernatura. El primero en enterarse de sus impresiones fue el mentor ideológico, don Francisco J. Múgica:

LA CAMPAÑA POLITICA

DEL CLERO

CONTRA LA CONSTITUCION

DE LOS

ESTADOS UNIDOS MEXICANOS

: : LOS CONSTITUYENTES DE 1916-1917 : :
CONTESTAN A LOS ATAQUES DIRIGIDOS
CONTRA LOS ARTICULOS 3º, 5º, 27 y 130

46

LA CAMPAÑA POLITICA DEL CLERO

CONTRA LA

CONSTITUCION DE LOS ESTADOS UNIDOS MEXICANOS

LOS CONSTITUYENTES DE 1916-1917 CONTESTAN A LOS ATAQUES DIRIGIDOS
CONTRA LOS ARTICULOS 3º, 5º, 27 Y 130

La acción desarrollada por el clero mexicano a avés de la Historia, ha sido siempre considerada por nuestros legisladores como nociva para la estabilidad de las instituciones, porque desde 1821 hasta 1867, propugnó por el establecimiento de gobiernos oligárquicos en los cuales las tres clases privilegiadas, a saber: el clero, el ejército y los latifundistas, adueñados de los destinos del país, no vacilaron en consentir que el primero asumiese la verdadera dirección de la vida política de México. La Historia ha demostrado que la estrechez de criterio de semejante sistema llevó a los pueblos a los más grandes fracasos y a los mayores excesos de opresión sobre los hombres, quemando—como dijera uno de nuestros grandes oradores—las alas del pensamiento en las hogueras de la Inquisición. La pavorosa ruina del gran reino que descubriera la América y que ocupara a principios del siglo XVI l primer lugar en la tierra, fué debida a la polí-ca de Felipe II, de sostener y propagar el catocismo por la guerra y la tiranía.

47

44. 1900. Día de campo en Jacona: mujeres, niños, sacerdotes y uno que otro laico.
45. Cristeros.
46-47. Múgica contra el clero.

48

Aquí me tiene ya con la capa en la mano esperando la embestida del mejor Miura (...) El teatro estaba lleno y parece pude hacer una exposición de las tendencias de mi candidatura; creo que al estar hablando bailaba la pierna que descansaba, pero me dio valor recordar a Mirabeau (...) defendiéndose de un proceso ante la multitud que atónita escuchó por primera vez al que creía desposeído de toda facultad oratoria.

¡Hasta citas de la Revolución francesa! El mentor no podía estar más satisfecho del pupilo. No habían perdido el tiempo en "Tuxpan de ideales"; de ideales socialistas, constitucionalistas, radicales y anticlericales, por supuesto:

Se inicia –responde Múgica– un porvenir insospechado todavía para muchos que yo vislumbro claro y acojo entusiasta... Sin que sea lisonja debo repetirle a ud. (que) cuando se pone a meditar y a expresar sus sentimientos lo hace con una exactitud que ya quisieran muchos.

En su manifiesto al pueblo de Michoacán emitido desde Villa Cuauhtémoc, Veracruz, Cárdenas había declarado: "resolver el problema de la tierra es una necesidad nacional y un impulso al desarrollo agrícola". Desde entonces prometía acometer esta labor "sin vacilaciones". Impulsaría además, "vigorosamente",la instrucción pública; y desarrollaría "una acción muy activa para lograr el exterminio de los rebeldes fanáticos".

La palabra "exterminio" era una concesión al furibundo Múgica. Para alcanzar en la práctica los ideales de Tuxpan que, desde luego, no objetaba, había que proceder positivamente y crear "una organización campesina (...) un solo frente (...) que responda (...) en la lucha social". ¿Era Cárdenas plenamente

48. Cristeros.
49. Posando.
50. El ideólogo y el político en Tuxpan, Ver. 1927.

consciente de la polarización ideológica en su estado? Quizá no, pero no tenía que serlo para actuar al respecto. Los odios teológicos le eran ajenos porque su talante no conocía el odio –aunque sí la envidia y el resentimiento– y porque carecía de sensibilidad y gusto por las ideas de cualquier índole, no se diga las teológicas. Su lugar específico de nacimiento lo liberó también, inadvertidamente, de aquellos extremos. Jiquilpan había sido hasta cierto punto, en palabras de Luis González, "la oveja descarriada de la Diócesis de Zamora", la oveja burocrática, liberal, urbana, política de un entorno profundamente católico. Y aunque suene paradójico, las herejías anticatólicas no partían de Jiquilpan. Para ser fanáticamente radical tenía que haber sido fanáticamente fanático, y ese privilegio estaba reservado a los oriundos de Zamora, Cotija, Sahuayo o Tingüindín... como el ex seminarista Múgica. El celo de Cárdenas era otro, complementario: traducir en política concreta –de grey, de masas– la doctrina de Múgica.

La fuente mayor de su experiencia política no fue derivada sino directa. Aun sin formularlo, presentía que su trayectoria *sintetizaba* a la Revolución. La Revolución así, sin más; la expresada en los artículos 3°, 27, 123 y 130. Había en aquel Cárdenas candidato a gobernador un doble sentido –filial y paternal– con respecto a esos ideales: era el legítimo heredero de Calles, de Mú-

49

50

51

52

gica, de la generación iniciadora de la Revolución. Pero era también el responsable del cumplimiento de sus postulados: había luchado por ellos casi desde la adolescencia.

A la conciencia de encarnar una síntesis se aunaba en Cárdenas un sentido de mando legítimo y casi ilimitado. ¿Cómo no iba a tenerlo si había combatido, en sincronía, a federales, pelones, huertistas, zapatistas, villistas, yaquis, bandidos, alzados; si había sido testigo de Teoloyucan y de la recuperación de la capital por el constitucionalismo; si por un capricho de la fortuna se había librado de ser el apresor de Carranza; si había caído gravemente herido en Huejotitlán sólo para ser salvado, con nobleza y reconocimiento, por sus adversarios?

Sin embargo, aquel sentido casi ilimitado y providencial de mando no se traduciría, en su caso, en actitudes personales de violencia radical. Cárdenas lamenta la "fanatización" del pueblo y sabe que en Michoacán "la doble" no caben las medias tintas, pero no vive –como Múgica– obsedido por el fantasma de su pasado católico. Su estilo es otro: la bonhomía de su padre herbolario, la suavidad de su madre, la paciencia indígena de su tía Ángela. También su visión de los problemas sociales llega a ser un tanto diferente de la de su mentor: menos profunda, pero más serena, equilibrada, amplia. No hay en Cárdenas un ex seminarista azote de las sotanas: hay un reformador firme y marcial como Calles, un convencido de sus ideales como Múgica, un implacable manipulador de masas, todo ello enmarcado por un temple humanitario y hasta dulce: el político perfecto.

El 18 de enero de 1929 el general Múgica, director de la Colonia Penal de las Islas Marías, recibe una invitación girada por instrucciones del gobernador Cárdenas para asistir al Congreso de Unificación Obrera y Campesina que tendría lugar a fines de ese mes en Pátzcuaro. Múgica se había enterado ya de la activísima labor de pacificación desplegada por su discípulo y amigo en la zona cristera desde el mes de septiembre de 1928 en que Cárdenas ocupa la gubernatura. Ahora veía con agrado –y quizá con nostalgia– que Cárdenas había experimentado en cabeza ajena: la suya. No se repetirían los errores tácticos del mugiquismo en 1921. Esta vez el gobernador revolucionario crearía desde el principio su brazo político. Jóvenes maestros que eran a su vez viejos mugiquistas, varios miembros del Partido Comunista y de la desbandada liga de Primo Tapia auxiliarían en la integración política e ideológica de la nueva organización: Gabino Vázquez, Ernesto Soto Reyes, Alberto Coria, Antonio Mayés Navarro. Bajo el lema de "Unión, Tierra, Trabajo" y con el gobernador Cárdenas como presidente honorario, nacía la poderosa CRMDT, Confederación Revolucionaria Michoacana del Trabajo.

Su programa agrario y obrero iba apenas adelante de lo dispuesto ya en la Constitución y la Ley de Trabajo aprobada en tiempos de Múgica: resolución amplia del problema de tierras, mayor agilidad en los trámites, establecimiento de bancos de refacción, jornada laboral de ocho horas, salario mínimo de 1.50 pesos, asistencia médica y escuelas obligatorias en las haciendas. En caso de reajustes, la confederación formaría consejos para trabajar y administrar por su cuenta los centros paralizados. La conclusión sí rebasaba los límites constitucionales: "Sólo una transformación del sistema capitalista existente proporcionará al obrero su emancipación de la condición de paria."

La grey social de la CRMDT la formaban empleados más que obreros: vendedores de lotería, choferes, boleros, mozos y meseros. Los maestros, agrupados en el Bloque Estatal de Maestros Socialistas de Michoacán, tuvieron desde el principio un papel dirigente. Las mujeres y los jóvenes estaban representados también por sus respectivos bloques, pero el núcleo central de la CRMDT lo constituyeron los agraristas. Cuatro años después de su fundación la poderosa organización contaba con cuatro mil comités agrarios y 100 000 miembros. Era en la historia del país

53

51. Defensa Social de Cotija.
52. Presencia profunda en Michoacán.
53. Gobernador revolucionario.

54

la primera organización de masas *inducida* por el gobierno y ligada verticalmente a él.

La CRMDT fue, desde su inicio, un apéndice del gobierno. Éste la financiaba con partidas que no se registraban en los libros oficiales. Una de las formas innovadoras de ayuda estatal consistió –además de ponerle casa en "proporcionar el transporte, regularmente por tren de hasta 14 vagones, para el traslado de todas las delegaciones estatales". Los ayuntamientos proporcionaban el hospedaje. Hacia 1930, un año después de su fundación, la conseja oficial excluía de hecho a cualquier otra organización representativa de los obreros y campesinos: la CRMDT era la "única institución que respondía a los anhelos de los trabajadores michoacanos". Al frente de los comisariados ejidales no había más ley que los confederados. "El fortalecimiento de la CRMDT –escribe Maldonado– la llevó a ocupar el 95% de los puestos de

54. La CRMDT incluía algunos campesinos.
55. Vestía solemnemente.
56. Los indios lo veneraban.

elección popular, desde Presidentes Municipales, encargados del orden, diputados federales y locales hasta jueces menores de instancia.'' En 1931, el gobierno estatal dio un paso más, definitivo, en el fortalecimiento de su brazo político: "Dentro de comunidades agrarias no podrá legalmente constituirse sindicato, ya que éste tiene por objeto la defensa económica y social de los trabajadores contra el capitalista. Los ejidatarios (en cambio) trabajan y administran por sí mismos los ejidos.'' En reciprocidad de este inmenso apoyo oficial, la CRMDT trabajaba activamente en la fundación de sindicatos y la "organización y transformación ideológica del campesino para que solicitaran tierras... apoyando las medidas legislativas del general Cárdenas''.

El poder público tenía otro vértice: el gobernador. En Michoacán, Cárdenas comenzó a labrar para sí un prestigio mesiánico. Allí donde su brazo político –la CRMDT– agitaba, manipulaba, removía, Cárdenas acudía con el bálsamo de su presencia. Victoriano Anguiano, joven abogado ex vasconcelista hijo de un rico cacique indígena de San Juan Parangaricutiro muerto en 1928 por los cristeros, solía acompañarlo en sus giras por los pueblos indígenas, arengando a éstos en su lengua nativa: el purépecha. Desde entonces, escribiría Anguiano:

> Me entusiasmaba su extraordinaria capacidad de trabajo; su voluntad inquebrantable de redimir a los desvalidos; su simpatía profundamente humana, y su temperamento revolucionario (...) me di cuenta que si su labor en lo material no podía dar frutos inmediatos, en lo espiritual era de gran trascendencia porque iba levantando de su postración de explotados, sin bienes ni conciencia de sus derechos, a las clases desvalidas, enseñándoles que como seres humanos eran iguales a sus amos y que su trabajo les daba derecho a una existencia menos pobre y obscura.

Todos los pueblos de Michoacán fueron testigos de su peregrinaje. Era campechano, cordial, afectuoso, atractivo, sedoso, y, sobre todo, activísimo. Estampa típica: en Turicato hay fiesta por la visita del gobernador. Sones de la tierra, corridos, orquesta típica lugareña, ricas corundas, saboreo de chorupos, plática con los maestros, saludos a los adultos, caricias a los niños. La simpatía del gobernador no desciende nunca a lo chocarrero. Tiene un sentido estricto, casi litúrgico, de la solemnidad, como lo prueba su atuendo: no se disfraza de campesino, usa siempre traje oscuro. Era hombre serio y de respetarse. Su principal virtud –herencia de la muda y santa madrina Ángela– es saber escuchar:

> Éste es mi deber y tengo que cumplirlo. Defraudaría las es-

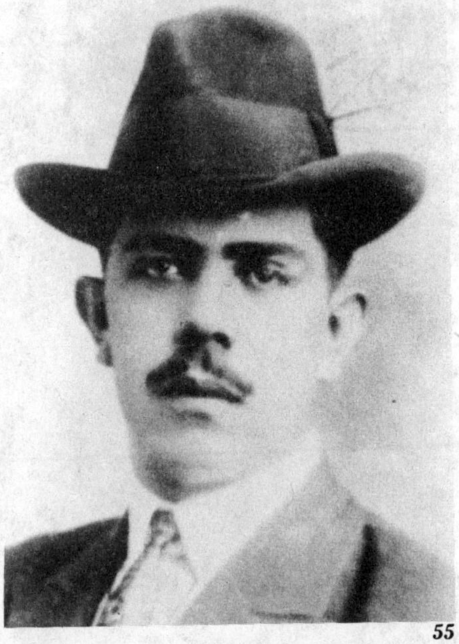

55

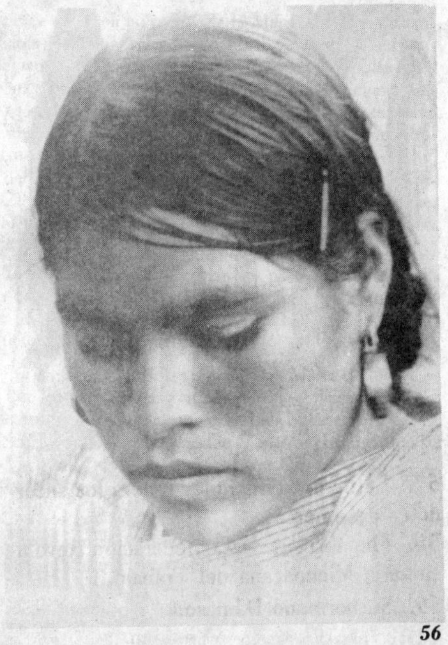

56

57

peranzas de toda esta gente que ha venido desde tan lejos a plantearme sus problemas, si yo turnara sus asuntos a un ayudante. Aunque no siempre pueda darles satisfacción, sé que se sentirán contentos con haberme hablado personalmente.

¿De dónde ha sacado Cárdenas el sentido paternal y misericordioso del poder? Luis González (oriundo de la misma zona y conocedor tan profundo así de la mentalidad michoacana como de la vida del general Cárdenas) piensa que el origen está en su trato desde tiempos infantiles con los sacerdotes de pueblo. Su figura no es muy diferente de la del minucioso padre Othón, fundador de San José de Gracia, que lo mismo construyó "el curato, la escuela y el templo", que "trajo maestros, acarreó artesanos, usó la representación teatral y otros medios para consolidar la doctrina cristiana en la feligresía; visitó a la gente, vapuleó a los borrachos y jugadores; trató y contrató con los campesinos sobre tierras y ganados". Tampoco se distingue la figura de Cárdenas de la de otro cura de San José: Federico González, que igualmente fracciona tierras y atiende la escuela, que introduce en el pueblo variedades mejoradas de maíz, fruticultura, agua, árboles de ornato y diversiones charras. El sacerdote como gestor no sólo de la salvación espiritual sino del bienestar material de la comunidad. Algo tenía Cárdenas también de la constante movilidad que el famoso obispo Cázeres había impuesto a los sacerdotes de su jurisdicción. Aquellos curas recordaban en cierta forma a los misioneros del siglo XVI, pero su carácter era menos evangélico, más práctico. Fue entonces, seguramente, cuando los indígenas tarascos, de vida intacta desde tiempos de Vasco de Quiroga, pusieron al gobernador el sobrenombre perfecto: *Tata Lázaro.*

El poder paternalista tenía, por desgracia, otra vertiente: la del sentido absoluto. Cárdenas era casi impermeable a la crítica. Lo caracterizaba un orgullo exacerbado. "Era muy difícil que reconociera sus equivocaciones, aun cuando pasado algún tiempo las aceptara":

> Cárdenas intervenía –recuerda Anguiano– en todos los ámbitos de la administración pública, mezclándose en las atribuciones de los Poderes Judicial y Legislativo. En su afán de escuchar y atender a todo ser humilde que se acercaba a plantearle sus querellas o sus problemas, se enteraba de las cuestiones judiciales y ofrecía que habría pronto y eficaz remedio a la queja que se le alzaba, y daba o mandaba instrucciones a las autoridades judiciales.
>
> A los componentes de la Cámara Local de Diputados los trataba como simples empleados, aniquilando toda iniciativa que

57. En tiempos infantiles trató a los sacerdotes del pueblo.
58. Miembros de la Confederación Revolucionaria Michoacana del Trabajo.
59. Su hermano Dámaso.

58

pudieran tener. Se limitaban a votar sin discusiones los decretos o Leyes que les mandaba (...)

En el campo político electoral se reflejaba este mismo criterio. Los miembros de la Confederación, sus fundadores, dirigentes o personas completamente identificadas con ella tenían preferencia para los puestos de elección popular. Excepto cuando el Gobernador quería proteger a alguna gente con una curul, pues entonces aunque no fuera de los jerarcas de la C.R.M.D.T., se le aceptaba, habilitándosele las ideas revolucionarias de que podía carecer.

Durante los cuatro años del gobierno del General Cárdenas, la Cámara Local de Diputados se integró casi por los mismos individuos. Es decir, como los diputados duraban dos años en el ejercicio de sus funciones, los que entraron con él en septiembre de 28 se reeligieron en 1930. En la Primera Legislatura figuró su hermano Dámaso, quien fue designado Gobernador Interino en 1929, cuando el General Cárdenas fue nombrado jefe de la columna del Noroeste para combatir la rebelión escobarista.

Por lo que respecta a los diputados locales y federales tenían también preferencia como candidatos, los protegidos y amigos del Gobernador y los líderes de la Confederación, sin tomar en

59

cuenta a los otros sectores sociales que constituyen el pueblo en su totalidad. Algunas personas que ni siquiera eran de los distritos o siéndolo nunca habían radicado en ellos, desconociendo completamente sus problemas y necesidades, les tocaba la gracia de una diputación federal (...)

Por lo que respecta a los Municipios, se cubría la fórmula de que las organizaciones intervinieran de alguna manera en la elección de regidores. Pero por ese mecanismo (...) consistente en que los líderes mayores y menores y sus incondicionales, eran realmente los que tomaban las decisiones; la verdadera mayoría o masa de trabajadores no estaban en condiciones de deliberar para hacer selecciones y consentían los munícipes que salían indicados.

Debido a la división reinante en la mayoría de los Municipios, a las pugnas intergremiales o a la necesidad de que una persona "revolucionaria" y con energía ayudara a realizar las ideas centrales del Gobierno, se acudió a la medida de mandar presidentes municipales de nombramiento, que muchas veces no sólo no eran del Municipio, pero ni siquiera del Estado.

Se registraba así el fenómeno de que las divisiones y luchas entre los grupos imponían como garantía o remedio a las graves consecuencias que generaban, la solución de mandar una persona extraña y ajena a los bandos en contienda, para que ejerciera el Gobierno Municipal.

60

¿Conocía Cárdenas los excesos de prepotencia y arbitrariedad que cometían los líderes confederados? Seguramente, pero debió considerarlos un mal menor. Antes que ver por la libertad electoral o la división de poderes en cualquier nivel, el Estado tenía una misión revolucionaria y tutelar. Cárdenas mismo lo resumió así en su último informe de gobierno:

No es posible que el Estado, como organización de los servicios públicos, permanezca inerte y frío, en posición estática frente al fenómeno social que se desarrolla en su escenario. Es preciso que asuma una actitud dinámica y consciente, proveyendo lo necesario para el justo encauzamiento de las masas proletarias señalando trayectorias para que el desarrollo de la lucha de clases sea firme y progresista. La Administración que hoy concluye no quiso limitarse a una intervención ocasional para dirimir los conflictos obrero-patronales, los problemas intergremiales y las manifestaciones todas del derecho industrial, para discernir la justicia; penetrando derechamente en la profundidad misma del problema, adentrándose en las realidades, puso todos sus empeños en la polarización de las energías humanas, antes dispersas y en ocasiones antagónicas, para formar con ellas el frente social y político del proletariado michoacano.

Era formalmente el Estado previsto en la Constitución de 1917, aunque muy distinto en la práctica del que había previsto Carranza o del que construían los sonorenses Calles y Obregón. En su lógica política –que no en sus fines– se acercaba más al paternalismo integral de Porfirio Díaz, pero los *tintes radicales* y las *estructuras integristas* con que lo dotó Cárdenas sólo eran imaginables en una región de raíces y tensiones religiosas tan profundas como Michoacán. La Iglesia tenía siglos de congregar –de integrar– a su grey en todo el país: en la vida material y la espiritual, en el ámbito local y el regional, en el campo y el círculo obrero. Pero en el corazón del México viejo su presencia era más viva y global que en otras regiones. Debido a esa cercanía con la iglesia, el nuevo edificio político que construía Cárdenas tenía por fuerza que subrayar los elementos de conflicto y competencia con aquel otro Estado. Y, lo que es más notable, aún de modo inconsciente tenía que imitarlo. El Estado como Contraiglesia.

Estrechamente ligado a los dos vértices –el frente único de trabajadores y el Poder Ejecutivo–, un tercer vértice completaba el esquema: el brazo sacerdotal: los maestros. Así como la Iglesia daba enorme importancia a sus escuelas y seminarios, a sus plegarias y homilías, el nuevo Estado se empeñaría vigorosamente en una educación social que permitiera a "los niños convertirse

61

60. El gobernador con sus colaboradores.
61. La iglesia tenía siglos de integrar a su grey.

en verdaderos seres humanos, en hombres de empresa y de acción". "El Gobierno –decía Cárdenas– considera como asunto de inaplazable solución orientar, precisa y uniformemente la educación pública en consonancia con las necesidades colectivas y a los deberes de solidaridad humana y (...) de clase que se impone en la etapa actual." Había que "socializar la escuela" bajo normas cooperativas y sindicales, imbuir en niños y adultos sentimientos de fraternidad y solidaridad, dejar a un lado –en palabras de Cárdenas– "los conocimientos inútiles y quintaesenciados trasmitidos dogmática y cruelmente". El brazo político, la CRMDT declaraba: "sólo el suministro de una educación adecuada logrará liberarlos de la acción de los curas y sustraerse del yugo capitalista." Los maestros, en suma, deberían convertirse en agentes de cambio social, portadores de "la nueva ideología revolucionaria".

El gobierno de Cárdenas dedicó casi la mitad de su no muy abultado presupuesto a fomentar la educación y con la promulgación de la ley reglamentaria, en breve tiempo logró que varias decenas de negociaciones y haciendas abrieran escuelas. Entre 1928 y 1932 se crearon, en conjunto, 472 escuelas. Para "modificar la actitud espiritual de los individuos, para que se desplace de una vez por todas el fanatismo". Cárdenas concentró sus esfuerzos a partir de 1929 en la antigua zona cristera: Coalcomán, Apatzingán, Tierra Caliente. Tiempo después, Múgica aplaudía ese esfuerzo.

> Recuerdo que cuando sus victorias finales sobre los cristeros le grité desde acá la ingente necesidad de aprovecharlas limpiando la mies de toda carcoma y parásitos y ahora que la civilización libró una batalla más difícil abriendo el camino es menester fundar luego centros culturales, misiones de propagación orga-

63

nizada y llevar libros. De otra manera lo que hemos construido para bien será aprovechado para facilitar la obra del mal y quien dá primero dá dos veces.

Las misiones culturales –calcadas de los maestros "saltimbanquis" inventados por Vasconcelos– no se preocupaban ya por distribuir la *Iliada* o los *Diálogos* de Platón. Su cometido principal era "desfanatizar" y "desalcoholizar". Lo intentaban como los curas, mediante pequeñas representaciones teatrales. Esta obra se complementaba con clases de jabonería, conservación de frutas y fomento deportivo.

En recuerdo quizá de su mentor político –el presidente Calles– que en Sonora había creado las escuelas prácticas Cruz Gálvez para varones y señoritas, Cárdenas fundó en Morelia la Escuela Técnica Industrial Álvaro Obregón y la Josefa Ortiz de Domínguez. Como en sus homólogas sonorenses, en las michoacanas se enseñaba toda suerte de oficios: talabartería, forja, zapatería, carpintería, etcétera... En la zona cristera de Coalcomán y en el pueblo indígena de Paracho el Gobierno intentó también, con regular éxito, la apertura de este tipo de centros.

La capacitación ideológica de los maestros era un punto clave para el buen resultado de la cruzada. Desde el inicio de su gestión

62. Múgica en la isla María Madre.
63. Tarascas.

6

65

Cárdenas había separado a la Normal de Maestros de la Universidad Nicolaíta, subordinando a aquélla al Poder Ejecutivo. En excelentes pupitres elaborados por los reos de las Islas Marías, los maestros leían autores de "reconocido prestigio e ideología revolucionaria". La Escuela Normal se hizo mixta –para horror de los mojigatos– y de ella comenzaron a salir los bien remunerados cuadros para la CRMDT.

Además de maestros, los maestros eran sobre todo agentes de cambio revolucionario, expertos en asuntos sindicales y cooperativistas. "Dábamos –recuerda uno de ellos– cátedra de civismo avanzado (...) así empezábamos a organizar, a aconsejar mejor dicho, a los peones a que se organizaran y pidieran tierras y se iban creando ejidos." Los centros de enseñanza eran "focos de fermentación ideológica" donde se distribuían las grandes ediciones de propaganda socialista financiadas por el Gobierno. A menudo, los maestros tenían que acudir armados a las haciendas porque los hacendados y sus guardias no se cruzaban de brazos a escuchar sus prédicas.

Los esfuerzos positivos de alfabetización y enseñanza técnica dieron mejores frutos que los empeños por desfanatizar y desalcoholizar. El caso de Zurumútaro, donde el profesor Múgica Martínez participó con la comunidad en la quema de santos, fue sin duda excepcional. Más generalizada fue la experiencia como la de profesor Corona Núñez, que trabajó en la Escuela de Apatzingán en 1930: terminó por admitir los pobres resultados de la campaña contra la embriaguez. "La gente –escribió– era muy dada al alcohol, además la mayoría estaba amancebada y había gran cantidad de adulterios, siempre se encontraban borrachos y con la mujer de otro."

No sólo el alcohol, el fanatismo y los hacendados dificultaban la labor de los maestros revolucionarios: también los maestros no revolucionarios. "Cárdenas encontró–escribe Weyl– que una gran proporción de los maestros se conducían en forma absolutamente neutral con respecto a la religión en los salones de clase y se negaban a adoctrinar a los educandos con teorías revolucionarias." Ante esta situación, la CRMDT decidió llevar a cabo una depuración ideológica dentro del ámbito normalista para excluir a todos los maestros que carecían de una "ideología avanzada". Así llegó a crearse una "comisión depuradora" cuya misión era investigar la posición ideológica de todos los maestros. En su último informe de gobierno, Cárdenas dirigió a los equivocados un suave anatema:

Frente a este tipo magisterial que no ha alcanzado en la sociedad ni la influencia ni la consideración que se debe a su ministerio, debe alzarse el guiador social que penetre con valor a la

64. Escuela confesional.
65. Escuela agrícola industrial.
66. Escuela para indígenas.
67. Escuela agrícola industrial de Jiquilpan.

66

67

lucha; no el egoísta que se conforme con defender los intereses específicos de los suyos, sino el conductor que penetre con pie firme al surco del campesino organizado y al taller del obrero fuerte por su sindicalismo, para defender los intereses y aspiraciones de uno y otros y afianzar las condiciones económicas de ambos; el encauzador que defienda los intereses y aspiraciones del niño proletario en el calor de la lucha social, porque tanto como saber modelar en forma integral las aptitudes y funciones espirituales del niño, interesa el encarrilamiento legal de los poderes en la conquista cada vez más firme y dignificante de los derechos del trabajador.

68

Frente a la Universidad Nicolaíta la actitud inicial del gobernador fue de recelo. Pensaba, sin duda, que era encarnación de los "conocimientos inútiles y quintaesenciados", prueba viva de la "mezquindad y egoísmo de las clases cultas". Múgica le había aconsejado socializar las profesiones, pero por lo pronto Cárdenas decidió socializar con los alumnos. La idea surtió efecto:

> Morelia. Invité hoy a un café en mi domicilio al señor rector de la Universidad, doctor Jesús Díaz Barriga, a profesores y alumnos nicolaítas, asistiendo en número de 60. Se ha establecido por iniciativa de la misma Universidad dar estos cafés en su propio plantel cada quince días. Durante la convivialidad se cambian impresiones, se canta, se bromea y al final se tratan una serie de temas interesantes para todos.
>
> Se habló hoy de la participación que el elemento estudiantil debe tomar en impartir enseñanza cultural entre las masas obreras y campesinas, acordándose la integración de comités de estudiantes encargados cada uno de la difusión ideológica y medios de mejoramiento económico. Entre las resoluciones tomadas hoy hubo una de trascendencia: presentar proyecto de ley socializando las profesiones, en que se señale a los profesionistas que se reciban en San Nicolás, la obligación de prestar sus servicios por determinado tiempo en las zonas que el Estado les señale (se hará extensivo esto a las escuelas normales).

En su último informe de gobierno, Cárdenas se refirió a esta alianza del poder político con el estudiantil.

> Ni engreídos con el poder, ni egoístas, los hombres de la Revolución tienden fraternalmente la mano a los universitarios para mostrarles cuál ha sido el camino que ya se recorrió y cuáles los campos que debe seguir cultivando la humanidad en constante lucha por su mejoramiento.

68. Universidad nicolaíta.

69

Entre esos campos estaba el problema agrario. Cárdenas propició la creación de un instituto de investigaciones sociales y económicas con el fin de mejorar científicamente los procedimientos del reparto agrario. Había que incrementar la producción agrícola, pero limitar la "plétora" inútil de profesionistas. Weyl resumía así la actitud de Cárdenas frente a la educación superior:

> El austero Colegio de San Nicolás era el refugio del conservatismo educativo. El gobernador Cárdenas destruyó su autonomía e introdujo la participación de los estudiantes en su administración. Intensamente práctico y científico en su proceder, Cárdenas alentó el establecimiento de un laboratorio de biología, un observatorio meteorológico, una unidad de capacitación para maestros y una escuela de comercio. Se esforzó por derribar la tradición de la educación clásica y literaria, y equipó a la Universidad para que enseñara a la juventud de modo que ésta pudiera contribuir a la reconstrucción técnica del país.

También el arte debía servir a los propósitos pedagógicos. En Jiquilpan se levantó, al poco tiempo, la estatua de don Hilario de

70

69. Un día en Michoacán.
70. Con el doctor Atl.

71

71. Primer Congreso Agrario.

Jesús Fajardo, aquel maestro merced a quien el gobernador había adquirido la devoción por los árboles. El pintor Fermín Revueltas recibía la encomienda de pintar dos murales en el Palacio de Gobierno: *Encuentro de Hidalgo y Morelos en Charo e Indaparapeo* y *Celebración del Primer Congreso Constituyente en Apatzingán*. Y desde la hermosa finca Eréndira que poseía en Pátzcuaro, Cárdenas podría contemplar la inmensa figura de Morelos que se erigía ya en la isla de Janitzio. Nuevas greyes, nuevos sacerdotes, nuevos seminarios, nuevo evangelio, nuevos santos, nuevos símbolos sobre una misma mentalidad.

No contento con la casi absoluta pacificación de la zona cristera a partir de los arreglos de 1929 y la reapertura de las iglesias, Múgica escribía en enero de 1930 a su querido "cabecilla":

> Yo lo que pienso es que subsistiendo en el Distrito el elemento clerical o sea los ministros de los cultos, son ellos los que agitan a los campesinos y pueblo de Coalcomán para que se opongan al funcionamiento y establecimiento de las escuelas. Alguna vez le dije a usted mi parecer sobre la conveniencia de que se sacara todo el elemento clerical del Distrito y permanecieran los templos cerrados el tiempo necesario para establecer la nueva administración y centros de cultura, pues mientras estos individuos queden en sus puestos en donde agitaron y revolucionaron, serán ellos los vencedores y no nosotros.

Desde los últimos meses de la Guerra Cristera –los primeros de su gubernatura– la táctica de Cárdenas había sido la opuesta. En vez de colgar cristeros, procuraba convencerlos, amnistiarlos, presionarlos. Así había logrado la rendición del líder Simón Cortés, en diciembre de 1928. En Aguililla, Cárdenas había convencido al padre Ríos de treparse en un avión y gestionar la rendición de las tropas alzadas. Un hermoso testimonio popular recuerda los afanes de Cárdenas y su carácter, muy claro, de guardián sacerdotal:

> Cárdenas entregó el templo del Sagrado Corazón. Era teatro, allí estaba Hidalgo, Morelos y Benito Juárez en bulto. Y como el padre Ceja era amigo de Cárdenas (...) El General le dijo al padre Ceja:
>
> –Cejita, te voy a entregar tu templo. Pero ¿cómo le vamos a hacer para los héroes que tenemos ahí de la patria?
>
> Entonces el padre se aflige y luego el que venía de asistente o compañero del general dijo:
>
> –Yo me encargo, yo le prometo que no sufren un desperfecto.
>
> El general no fue malo, si antes no se vengó cuando le gritaron muchas cosas en público. Le gritaron tripero. Él era cristiano, no perdió su fe, fue un medio que Dios puso para que se acabara esta barbarie del mentado Calles (...) Lázaro no fue contra la Iglesia (...) Él aplacó toda la cosa.

Aunque fomentó ampliamente la masonería, creando "El Gran Rito Nacional, logia herética que habría de manejar con fines políticos", era claro que a Cárdenas no le interesaba la desfanatización en sí misma sino en la medida que ayudase a su programa agrario y social. Quería "emancipar a los obreros y sus familias para que, sin las tenazas del fanatismo confesional, puedan adentrarse en los planos de sus luchas clasistas con plena libertad espiritual". A su cercano lugarteniente Ernesto Soto Reyes le confesó alguna vez: la desfanatización "no me interesa, lo que me preocupa es la cuestión social". Con todo, a mediados de 1932 Cárdenas introduce la Ley Reglamentaria del Artículo 130 Consti-

72

72. Fomentó la masonería.

73

tucional y limita a tres el número de ministros "de cualquier culto" por cada distrito. (El estado tenía entonces once distritos.) ¿Por qué lo hace? Desde las Islas Marías, Múgica brinca de satisfacción: "incontrastable esfuerzo su gobierno para colocar entidad michoacana a la altura estados más cultos y revolucionarios". Pero las razones de Cárdenas han sido otras: sus medidas agrarias... con la Iglesia habían topado. Él sólo reaccionaba en represalia.

Ante su propio decreto, la actitud personal del gobernador era de tolerancia. Cuando algún sacerdote extremaba su labor "divisionista", Cárdenas acudía al obispo Luis María Martínez y lograba el retiro. En el pueblo de Tzinapan –recuerda Anguiano–:

Pasando frente al templo católico advertí la celebración de una gran ceremonia religiosa porque lucía preciosas guirnaldas de flores blancas y rojas y la entrada del santuario religioso estaba alfombrada con musgo, hojas y rosas. Se oían los graves y unciosos acordes del órgano tocando composiciones religiosas y también aromaba el ambiente el incienso que se quema abundantemente en tales liturgias. Me acerqué al portal de la Presidencia Municipal y le pregunté a un empleado, mal vestido, con anteojos cabalgando sobre nariz aguileña, por el Presidente Municipal, y medio malhumorado me contestó que no estaba, que quién lo buscaba. Cuando le dije que el Gobernador del Estado, temí que se desmayara porque abrió tanto los ojos que hasta se le cayeron los espejuelos y me preguntó espantado: "¿el General Cárdenas?" Le contesté: el mismo, allí está en aquel extremo de la plaza. Era que el Presidente Municipal y todos los Regidores estaban en la misa cantada y debido a la Ley Reglamentaria de Cultos expedida por el Gobernador Cárdenas, en aquel pueblo no estaba autorizado a ejercer ningún sacerdote. De manera es que estábamos ante una violación solemne de la Ley de Cultos. Inmediatamente fue a llamarlos y salieron ostentando brazaletes de listón encarnado en el brazo derecho, símbolo de la asociación del Sagrado Corazón de Jesús. Y, sorprendidos, aunque no con miedo, se presentaron ante el Gobernador. Ya apeados de nuestras monturas nos fuimos a una de las casas principales y observé que había barruntos de alarma e inquietud en las calles, pues salían las mujeres, los niños y los hombres seguramente por la curiosidad de conocer a un hombre que tenía fama de "anti-cristo" entre los fanáticos, fama que le hacían los elementos perversos e incomprensivos del clero. Me enteré que se había mandado llamar al sacerdote y cuando éste cruzó las calles para llegar a donde estábamos, ya una muchedumbre vibraba de zozobra pues sin duda esperaban que se le fuera a desollar o aplicarle otro castigo inquisitorial.

73. Días de gobierno.
74. Los maestros, el brazo político.
75. Los dejaba hacer.

74

Llegó el párroco y fue tratado con seriedad pero cortésmente por el General Cárdenas. Le preguntó que si tenía autorización para oficiar y cuando respondió que no, le sugirió que para no violar la ley sobre la materia debía pedir licencia si la cantidad de feligreses de aquel Municipio requería la práctica de los oficios religiosos. Que daría instrucciones a la Secretaría de Gobierno para que se le atendiera. En seguida, le pidió que él como hombre instruido, ya que había hecho los estudios necesarios para adquirir su grado sacerdotal, y por consiguiente, sabía la existencia y el valor de las leyes, no las violara, ni menos indujera a las gentes del pueblo, ignorantes y poseídas de un fuerte sentimiento religioso, a que se violaran. Que se diera cuenta de su gran responsabilidad. El cura no salía de su asombro porque tal vez esperaba una reprimenda áspera o un trato dictatorial y majadero. Cuando la gente vió salir a su pastor ileso, sonriente y satisfecho, comenzaron a lanzar vítores al Gobernador del Estado.

Por desgracia, el gobernador no tenía el don de la ubicuidad. Los maestros del brazo político –la CRMDT– actuaban también, pero de modo agresivo. A ellos sí les importaba, ante todo, la desfanatización, y Cárdenas los dejaba hacer:

75

(...) se formó un cuadro teatral con elementos de la Confederación, que representaba obras sui géneris, ridiculizando o haciendo crítica materialista de la religión católica, combatiendo así costumbres y usos paganos religiosos que tenían siglos de vigencia en los poblados indígenas, en las rancherías etc. Se llegaron a realizar quemas de santos como la de Zacapu, donde

76

76. Segundo Congreso Agrarista.

el pueblo, completamente católico, con algunas excepciones, estuvo a punto de linchar a la "Pelona", lideresa medio desequilibrada que había brotado en aquel singular clima, produciendo graves conflictos populares y divisiones internas que se iban impregnando de odio por los actos de agresión y represalia que se ejercitaban entre los grupos.

En varias ocasiones la sangre llegó al río. En el pueblo indígena de Cherán, una Semana Santa, el choque entre fanáticos desfanatizadores y fanáticos fanáticos produjo más de treinta muertos e incontables heridos. Anguiano visitó el lugar días después de la hecatombe y oyó de labios del líder popular Samuel Hernández una narración con ribetes de *Fuenteovejuna:*

> Decía que llegaron las parvadas de agraristas de la C.R.M.D.T. por todas las entradas del pueblo; llevaban bestias cargadas con metates, comales y ollas y más impedimenta; muchas mujeres para que cocinaran y le dieran más fuerza al Congreso con los gritos y cánticos que se les enseñaban; músicas de aliento, algunas tan famosas y buenas como las de Tiríndaro y Naranja. Se apoderaron de la gran plaza cuadrangular cerrada en un lado por el templo católico y en otro por el edificio del Ayunta-

miento; enfrente de éste la cerraba un edificio de mampostería semiderruído. Los congresistas, alegres y dominantes, hicieron vivacs en el área de la plaza; instalaron el tablado en el corredor de la presidencia municipal y el Jueves Santo quisieron iniciar el acto, que resultó tragedia; adornaron el estrado con las banderas roji-negras, estallaron las músicas en melodías populares y en sones purépechas tan dulces y melancólicos. Ya abierta la sesión después de una arenga incendiaria e irreverente de alguno de los líderes, se acordó llamar precisamente a Samuel Hernández para que jurara la bandera roji-negra de la hoz y el martillo. Una comisión fue a traerlo de sus oficinas del P.N.R. donde se encontraba vigilante. Fue llevado casi por la fuerza y ya en el templete donde estaban los líderes principales de la Confederación con aire de sacerdotes, le entregaban su lábaro para que lo jurara. Samuel dice: "yo me negaba y les decía: ya tengo mi bandera que es la tricolor; yo no juro ésta porque si lo hago mi pueblo me mata".

"Entonces uno sacó una pistola y me la puso en el pecho. Vi que me iba a disparar si no obedecía y ya iba a agarrar su bandera, cuando me gritaron en tarasco de enfrente y de arriba del templo: no jures esa bandera porque te mueres, y de repente comenzó a tronar por todos lados." Los congresistas, aunque tenían armas, no todos llevaban sus carabinas porque el

77. Melancolía purépecha.

77

jefe de la guarnición, Coronel Dozal, les había indicado que las depositaran en un banco bajo su responsabilidad. De manera es que se desbandaban para librarse o ir por sus armas, las mujeres gritaban; y mientras tanto, según la expresión de mi relator, todo el pueblo tronaba. Los dirigentes del tablado se metieron por las ventanas de la Presidencia Municipal y allí se refugiaron; primero quisieron asesinar a Samuel como una represalia, pero alguno más sereno les advirtió que él era la única salvación. Lo mantuvieron algunas horas en rehenes; después lo obligaron a que saliera a calmarlos; salió hasta el centro de la plaza y de allí, en nuestro idioma, el purépecha, les pidió que suspendieran las hostilidades; que se irían los agraristas al amanecer; no que-

78

rían obedecerle pero entonces les pidió que si iban a seguir la agresión primero lo mataran a él. Entonces vino la tregua.

Y al día siguiente "como ratas aturdidas", decía mi narrador, comenzaron a salir precipitadamente. Todavía tuvo el salvador de los desfanatizadores que intervenir una vez más: se supo que gran cantidad de aborígenes estaban emboscados en la salida de Nahuatzen esperando a los que por allí salieran. Tuvo que ir Samuel a suplicarles que cumplieran lo ofrecido por él, es decir, que saldrían con vida todos.

Samuel Hernández estuvo en la penitenciaría de Morelia muchos meses, en compañía de otras víctimas expiatorias. A pesar

78. Mesa directiva del Segundo Congreso Agrarista.

de la indignación del General Cárdenas porque se había "asesinado" a sus redentores consentidos, no podía castigarse a todo un pueblo.

Uno de aquellos maestros radicales de la CRMDT –Salvador Sotelo– recordaba muchos años después: "Teníamos que representar un radicalismo, pues estaba muy metida la fama de los que se creyeran comunistas." En su desempeño como maestro en Ario hacia 1930, Sotelo tañía las campanas para desfanatizar y suministrar "sacramentos socialistas": "Recibe la miel que la laboriosa abeja, símbolo del obrero, extrae del néctar de las flores, para que tu vida sea placentera."

Diez años más tarde, desaparecida –por orden del presidente

79

Cárdenas– la CRMDT el profesor Sotelo se sentía abandonado, traicionado: "Antes la fama de comunista (...) pero no es posible (...) Ahora yo he sacado en consecuencia que la ideología del pueblo, es de ser muy adherida a la religión católica.

Un muro de su casa ostenta símbolos de todas las ideologías: la estrella de David, la hoz y el martillo, el compás y el triángulo, el ojo de Jehová, el retrato de Bartolomé de las Casas, defensor de los indios. "Aunque me educaron en la ideología católica –concluye Sotelo–, no acepto ninguna. Simpatizo con los Rosacruces." Mientras tanto, el viejo cura ha vuelto a Ario. Desde entonces las campanas sólo se oyen para llamar a misa.

79. Manifestación de la CRMDT en Morelia.

80

Entre 1917 y 1928 los gobiernos de la Revolución habían entregado en Michoacán 131 283 hectáreas a 124 pueblos. En sus cuatro años de gobierno, de septiembre de 1928 a septiembre de 1932, Cárdenas rebasó esas cifras: repartiría 141 663 hectáreas a 181 pueblos. Durante su gestión expidió una ley de tierras ociosas destinada "a aliviar la presión de solicitudes", otra de expropiación por causa de utilidad pública y una más sobre contratos de arrendamiento en las comunidades indígenas.

Mientras el Jefe Máximo declaraba en México que el ejido había fracasado, Cárdenas afirmaba: "No hay fracaso ejidal; lo que falta es que los campesinos cuenten con mayores elementos para cultivar la tierra (...) el ejido (...) será la base de la prosperidad del país."

Los primeros en oponerse a la política agraria del gobernador fueron, por supuesto, los hacendados. A la mayoría no le asistía la razón, pero le sobraban los recursos: salvaguarda de tierras fértiles, buenos abogados, guardias blancas, sindicatos blancos, fraccionamientos simulados o preventivos, etcétera... Cuando la Cámara de Comercio, Agrícola e Industrial le pide en 1930 el cese del reparto, Cárdenas responde –siempre firme pero comedido– que faltaba aún mucho por dotarse y conmina "a los propietarios de dar facilidades al gobierno (...) convencidos de que no existe otra solución al problema agrario en Michoacán y en la República entera".

80. Escucha el informe sobre un proyecto de internados indígenas.

Tan enérgica o más que la de los hacendados fue la oposición ;eneralizada de los sacerdotes. Un caso extremo: el padre Trini-lad Barragán, de Sahuayo, imploró en público a Dios que "la ierra se tragara a los agraristas". Con todo, había otros sacerdotes :ontrarios al reparto ejidal –no al fraccionamiento– por razones nenos viscerales. En San José de Gracia, por ejemplo, el padre 'ederico González había realizado por su cuenta desde 1926 el 'raccionamiento en parcelas de la hacienda El Sabino:

> El padre Federico –escribe Luis González– no considera herejes ni impíos ni malvados a los agraristas; no juzga al agrarismo desde un punto de vista religioso; lo condena apoyado en razones de índole económica y social. Basado en la corta experiencia de la vida ejidal en su pueblo y en los lugares próximos a él y en las opiniones adversas a la reforma agraria que propala la prensa periódica, no cree en la eficacia del ejido; lo considera causa de tres males mayores: la disminución de la productividad en las pequeñas propiedades; el mal uso de la tierra por parte de los ejidatarios y la división social que acompaña y sigue al reparto. La menor productividad que ve entre los propietarios individuales la considera derivada del temor de los terratenientes a perder la tierra. También está seguro de que los ejidatarios, por inexpertos, por perezosos, por saber que no son dueños absolutos de las tierras ejidales y por pobres, nunca mejorarán los terrenos del ejido, los seguirán deforestando y maltratando. Pero lo que más le preocupa es la honda división social y las sangrientas rencillas acarreadas por la revolución agraria. Se erige, pues, en apóstol de la pequeña propiedad. Congrega a su alrededor y unifica a 400 propietarios con el fin de contener el avance del agrarismo en la región de San José. Su lucha es contra el agrarismo, no contra los agraristas; en favor del parvifundio, no de la hacienda. Si presta su apoyo a los medianos propietarios es porque sabe que sus hijos serán pequeños propietarios.

Lo más extraño de todo, a los ojos de Cárdenas, debió ser la ›posición de los propios peones acasillados al reparto. "La acción ›olítica del gobernador –escribe un estudioso del periodo–, aunque beneficiaba a las masas campesinas, no tuvo eco en todas :llas." En Sahuayo, población de 8 000 habitantes, había 15 ıgraristas. En Jacona, el agrarista Martín Rodríguez tuvo que traer ;ente fuereña para que aceptase las tierras. En Zacán, un testigo ecordaba el día en que "los del gobierno" se habían apersonado ›ara el reparto:

> Nosotros no habíamos pedido eso del ejido, ni sabíamos qué era

81

82

81. Los hacendados se opusieron al reparto.
82. Los campesinos, en su mayoría, también.

eso. Por eso cuando llegaron los del gobierno pensamos que otra vez andaban buscando cristeros y no les creíamos nada, y no queríamos aceptar lo del ejido (...) Pero ellos ahí estuvieron hable y hable, cantándola finito, que si el gobierno era esto, que si el gobierno era esto otro (...) Hasta dos o tres días se quedaron y nos dejaron los papeles.

Pero el caso tal vez más dramático para Cárdenas fue el de la enorme hacienda de Guaracha contra la que habían litigado sus propios antepasados maternos del pueblo de Guarachita. Las primeras solicitudes de tierra en Guaracha las hace un grupo de "norteños" llegados a la zona a raíz de la crisis del 29. Aunque

83

los peones de Guaracha piden en masa que se castigue a los fuereños solicitantes, el 23 de julio de 1931 se publica en el periódico oficial la solicitud de dotación de ejidos a los vecinos de Guaracha. Por esos días se aparece en la hacienda el mismísimo gobernador. Heriberto Moreno, autor de un estudio ejemplar sobre la hacienda de Guaracha, recogería muchos años después los testimonios de primera mano:

Vino a un convivio y les habló que qué era lo que querían; pero como aquí todos éramos católicos, rehusaron a ese reparto de tierras, sin saber si serían beneficiados a no (...) La *gente* lo

83. Hacienda de La Guaracha.

trató bien pues en realidad la *gente* no sentía odio (...) el pueblo aclamó mucho a don Lázaro (...) nomás se trataba de don Lázaro y la gente estaba quieta (...) Frente a él no se *vido* ninguna manifestación mala (...) (aunque era natural que) toda la gente que trabajaba a gusto tenía que estar disconforme con la proposición, con lo que venía a ofrecer él.

"Alguien recordaba –apunta Moreno– que don Lázaro no quiso probar alimento." Mientras él les hablaba sobre la conveniencia del reparto –advirtiéndoles que de no aceptarlo tendrían que trabajar como jornaleros para los peones de los alrededores que ya estaban solicitando tierra–, la multitud en los pórticos gritaba:

84

'Nosotros no queremos tierra sino culto." Corre la leyenda de que la vida de Cárdenas pendió de un hilo. No hay duda de que salió contrariado, pero no derrotado. La demanda de tierras firmada por el puñado de agraristas siguió su curso.

Antes que por el censo oficial se comprobara que la abrumadora mayoría de los habitantes de Guaracha se oponía al reparto, la Comisión Agraria había recibido 27 pliegos con mil firmas censurando al zapatero Abel Prado –líder de los agraristas– y a sus 6 amigos:

Los agraristas no son ni seis y se dedican a otras cosas que no

84. Hacienda de Vista Hermosa.

85

86

85. Trabajadores de La Guaracha.
86. El líder agrarista de La Guaracha, Isaac Canela.

son la agricultura (...) los que aparecen como agraristas son comerciantes, arrieros, zapateros (...) ¿no tenemos derecho a ser escuchados y atendidos? ¿No es la voz del pueblo (...) a quien se debe escuchar?

Era la voz del pueblo pero, a juicio de la autoridad, la voz estaba equivocada o, peor aún, manipulada por el capellán y el hacendado. ¿Se oponían al reparto por miedo o por convicción? Lo cierto es que se oponían. El caso se prolongó hasta que en 1935 Cárdenas visitó, ya como presidente, el pueblo vecino de Totolán. Hasta allí llegaron los agraristas:

Ya fuimos a Totolán, Isaac Canela, Antonio Andrade y otros... Pensamos presentarnos primero a don Dámaso que acompañaba a su hermano... Toda la gente de Totolán parecía que nos quería comer con los ojos... No nos dejaban pasar las mujeres... Entramos... Iba yo hasta temblando... Ya le hablamos al General. Estuve a ofrecerles toda la tierra para no agarrarles ni un metro y no quisieron...
Y uno gritó:
–Si, General; y hasta lo querían matar.
Entonces ya me animé y le dije:
–Esas gentes, como su ejército a usted, General, le son fieles

a su patrón... Como el combate que tuvo usted con Buelna acá para el lado de Colima, que murieron al lado de usted todos los oficiales... Así considere esa gente que son muy ignorantes y no saben.

Entonces le habló don Dámaso... Mandó llamar a un ingeniero.

–Dale ejido a Guaracha... ¿Cuántos habitantes son?

–Cerca de ochocientos padres de familia.

–Dales para 340 o 350... ¡Vete; ya hay ejido!

No hubo censo, no hubo política, no hubo nada; nada más una palabra de don Lázaro.

Todavía –agrega Moreno– cuando se presentó el día 21 de octubre de 1935

una nueva solicitud de dotación de tierras, bajo el nombre de "Tenencia Emiliano Zapata", fue difícil completar el número sugerido por "el General" en Totolán. Aún para esa fecha los "acasillados" se hallaban bajo el imperio de la duda y el temor de las amenazas. ¿Y así hubieran seguido indefinidamente? ¿Nunca habrían deseando ni llegarían nunca a desear una tierra que siempre fue del amo? El caso es que ninguno de sus antepasados había perdido el mínimo pedazo de tierra frente a la hacienda. Nadie jamás había trasmitido, con la protesta por el despojo sufrido, el coraje por el rescate. No podían poseer una tierra que había pasado a ser, en su inmensidad, la medida de su mundo laboral, social, religioso y, para algunos, hasta físico. ¡Qué difícil hubiera sido que aspiraran a poseedores estos poseídos por la tierra!

La actitud de algunos se explica quizá con otra pregunta: ¿poseer una parcela ejidal era, en verdad, poseer la tierra?

Las tierras que finalmente tocaron a la *gente* de Guaracha no fueron las mejores. Algunos prosperarían, otros no. Con los "tiempos nuevos" vendrían nuevos males: el abuso del crédito y el endeudamiento, la desigualdad entre ejidatarios como consecuencia del acaparamiento de parcelas, el cierre del molino de la hacienda, el desaliento, la emigración. Cuando crecía la Laguna de Chapala, la gente dejaba que el agua inundara las tierras de la ex hacienda. En los "tiempos viejos" –recordaban los ancianos– la reacción había sido distinta: la gente ponía diques y costales. Con todo, el ejido crecería. Pronto estarían las escuelas, los transportes, las clínicas y el ajetreo para probarlo.

A fines de 1913, en una de sus primeras correrías revolucionarias, Cárdenas había asistido a una entrevista de su jefe el ex

87

87. En Guaracha le dijeron "no queremos tierras, sino culto".

zapatista Guillermo García Aragón con el cacique indígena de la zona de Cherán, Casimiro López Leco. Tuvo entonces la primera noticia de los contratos leoninos celebrados por las comunidades propietarias de los montes con el norteamericano Santiago Slade. Bajo presión y amenaza de los prefectos porfiristas, los representantes indígenas habían cedido su inmensa riqueza forestal por 99 años a precios ridículos. Veinticinco años después, al llegar al poder, Cárdenas rescató de manos extranjeras esa riqueza y la devolvió a sus dueños.

Sentía amor auténtico por los indígenas. Según su propio testimonio, nacía del cariño por su madrina Ángela, cuya mudez realzaba de modo dramático sus rasgos indígenas. Como gobernador no escatimaba tiempo para escucharlos, aconsejarlos y tratar de dirimir sus diferencias. Ya para finalizar su gestión, escribe a Múgica desde Paracho:

> Aquí me tiene en el corazón de la Sierra desde el lunes palpando las necesidades y problemas de las Comunidades Indígenas y demás núcleos. Mi propósito fue el de pasar una temporada en esta zona para ver de cerca los problemas, pero las comisiones que tuve fuera del estado y las atenciones en distintas zonas de Michoacán me lo impidieron con anterioridad y hoy

38. En la sierra.

88

aunque ya al final de mi Gobierno he querido cumplir con esta obligación y aquí me tiene constituido en Tribunal Patriarcal despachando en uno de los portales de la plaza.

Siento no poder permanecer mayor tiempo aquí. Pasaría con gusto un año. Ojalá y el gobernante entrante tuviera en su programa dedicar todo el segundo o tercer año de su gobierno estableciéndose en Paracho. Sería de enorme beneficio para la clase indígena que tiene serios problemas como es la falta de enseñanza agrícola y su desarrollo industrial. Voy a dejar iniciada esta obra y la recomendaré con todo calor.

89

Anguiano, su intérprete, fue testigo de aquella estancia de Cárdenas en Paracho:

> Me consta la cordialidad con que trataba a los indígenas. Pero lo que más me impresionó fue el severo empeño paternal con que rechazaba las actitudes de hinojos o los ademanes de besarle la mano que los representantes, señores principales de los poblados indígenas, querían hacerle en señal de reconocimiento de su autoridad. Los tomaba de la mano con una cordial energía y los hacía erguirse para que lo vieran de frente. Quiso atender todas las peticiones y resolver las necesidades de más de quince pueblos que visitamos.

89. Con agraristas en el cerro de la independencia de Zinapécuaro.

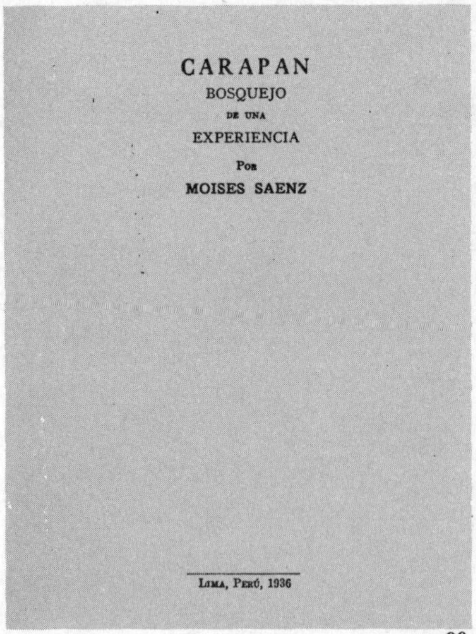
CARAPAN
BOSQUEJO
DE UNA
EXPERIENCIA
POR
MOISES SAENZ

LIMA, PERÚ, 1936

90

90. También visitó Carapan.

Por esas fechas la Estación de Cultura en Carapan había sido atacada con piedras y armas de fuego por indígenas que temían el atropello a sus costumbres. Al llegar Cárdenas la plaza enmarcaba un espectáculo extraordinario:

> (...) se destacaban los colores intensos de los rebozos azules, morados o de otros tonos chillantes que enmarcaban los rostros morenos con los dientes albísimos de las "guares" (señoras) y "yuritzquiris" (doncellas); y de las fajas bordadas de estambres que ciñen sobre la cintura de las mujeres los rollos de paño de lana auténtica, plisada, que llevan como enaguas. Había muchas adornando su cabellera con listones de coloridos vivos y gayos y los delantales de fular de seda orlados de albísima blonda; estos delantales siempre son de colores acentuados; azul, verde tierno, morado lila, rojo encendido, etc. Los hombres estoicos y reservados parecían estar rememorando las gloriosas épocas del esplendor de Tariácuri en el Imperio Purépecha. Me encargó el señor Gobernador les explicara que habían sido engañados por quienes les dijeron que aquellos misioneros de la cultura iban a quitarles la religión católica. Y les hiciera ver las enseñanzas que iban a impartirles a niños y a adultos, para que vivieran mejor y con menos insalubridad y miseria. Comencé mi arenga en español, pero bien pronto me di cuenta que echaba agua al mar. Entonces comencé a explicarles en nuestro dulce y armonioso idioma purépecha y el efecto fue mágico. Los rostros se transformaron en gestos de confianza, miradas de comprensión y sonrisas de reconocimiento para el co-aborigen. Y claro que entendieron y aceptaron mis explicaciones; y la reserva, la duda y la desconfianza con que ven siempre las gentes que descienden de las culturas pre-colombinas, a los mestizos, los blancos y sus acciones, se convirtieron en alegría ingenua y confianza plena. Después aparecieron las danzas aborígenes con sus vestimentas policromas y estallaron los sones tristemente alegres; y en medio de aquella fiesta de color, de sencillez y de entrega de corazones limpios y grandes, comimos junto a los arroyos, cobijados por el follaje de los árboles

Anguiano se engañaba un tanto: no era sólo el dulce idioma purépecha lo que disolvía la reserva, la duda, la desconfianza, sino la mirada sincera del hombre a su lado: *Tata Lázaro.*

Como buen discípulo del presidente Calles, el gobernador Cárdenas medía el progreso en metros lineales, cuadrados y cúbicos. Ejemplo de lo primero fue la extensa red de carreteras y caminos que inauguró e inició. Su orgullo, claro, era la ruta México-Guadalajara, que tocaría también Zitácuaro, Ciudad Hidalgo, Zinapé-

91

92

91. Chapala.
92. Jefe cristero de Los Altos.

cuaro, Pátzcuaro, Zamora, Jiquilpan. En su periodo se abrieron las rutas de Morelia a Huetamo, Quiroga a La Huacana y Uruapan a Coalcoman, con brecha hacia Balsas. Se proyectó además el tren Uruapan-Zihuatanejo y se terminaron campos de aterrizaje en varias ciudades.

Desde las Islas Marías Múgica redactaba –con regular ortografía– su felicitación al ex discípulo:

> Incisto en serle fiel a mi divagado cabecilla y no obstante su silencio ya largo le escribo en momentos en que seguramente se encuentra lleno de lejítima satisfacción viendo que dos Distritos del Estado se comunican mediante la carretera de su iniciativa y tesón. Creame que yo estoy gosando interiormente tanto como Ud. pues comprendo el emporio de riquesa y más que todo el boquete que abrimos a nuestras doctrinas y tendencias estableciéndo fácil comunicación con gentes que hasta ahora contaban con solo la aparente abnegación del cura que sentaba sus reales en la misma naturalesa bravía, aislada e inclemente de ellos.

¡Asfalto contra los curas! En su carta, Múgica no mencionaba los grandes avances de Cárdenas en metros cuadrados y cúbicos: desecación de aguas pantanosas, bordos en Chapala, calzada sobre Cuitzeo, encauzamiento del Duero. De haberse enterado les habría encontrado, sin duda, una utilidad doctrinal.

El 9 de abril de 1932 "el cabecilla" escribía al exiliado:

> Mi propósito (es) dedicarme al terminar mi período de gobierno, (a) ayudar a la Confederación de Trabajadores de Michoacán a su desarrollo económico a base de un mejor sistema de trabajo elegido y a conseguir la mejoría del salario. Me propongo que-

93

93. Construyó caminos.

> dar con la Confederación un año inmediatamente después del próximo septiembre. Y sobre este plan de carácter económico hablaré a Ud. próximamente para oír su opinión autorizada. Porque estimo que los organismos deben tener por objeto no únicamente contentarse con lo exiguo que hoy tienen, sino realizar una acción de mejoramiento práctico, aplicando una acción uniforme de todos los miembros confederados para que en esta forma vean prosperidad en los ejidos y mejoría en los salarios. Y la organización de trabajadores de Michoacán que ha reunido en su seno una mayoría, necesita orientación y un plan de trabajo en el que obtengan resultados satisfactorios y no negativos.

Esta vez don Juan Gene Mu –fórmula de Cárdenas– emitió una opinión enteramente práctica, nada doctrinal. Sentía "el placer de ver idealizar" a su ex discípulo, y le diría por qué:

> (...) cada día que pasa me confirma más en la idea de que el mando es una necesidad ingente en nuestro medio político y social, sin esta condición nadie vale nada en México así sean claros los antecedentes y halagadoras las circunstancias, pero la verdad brutal, tajante, incontrovertible es que sin el mando todo valimiento vale pelos –y perdóneme la frase tan vulgar en esta carta tan seria.
>
> Si usted tiene pues, que de hecho sé que lo tiene, empeño en salvaguardar los ideales de la revolución y de conservar por lo menos algunas de las organizaciones de manifestación que han logrado crearse, llenas de dificultades y restricciones, conserve usted el mando militar.

Cárdenas siguió al pie de la letra el excelente consejo. Daba en el blanco, además, porque entre todos los problemas que tenía ante sí sobresalía entonces el de la sucesión. El candidato natural a sucederlo, el hombre que aseguraba la continuidad de su programa, era Ernesto Soto Reyes, personaje central en la CRTDM y presidente del Comité Estatal del PNR. Lo apoyaba Múgica, quien desde principio de año también se apoyaba discretamente a sí mismo (¿debía escribir una carta abierta a los amigos que lo proponen?, pregunta a Cárdenas). En todo caso, su recomendación al amigo es evitar la imposición y acudir al plebiscito interno.

> Pero el Gobernador –escribe Anguiano– tenía otros designios. Y otra vez aparece desconcertante e ilógico, porque en lugar de escoger como sucesor uno de sus incondicionales o adictos que, seguramente, hubieran contado con el formal asentimiento de la C.R.M.D.T. para dar la impresión de que la voluntad de la mayoría de obreros y campesinos lo escogían, determinó que lo suce-

diera en el poder un hombre completamente alejado del movimiento social extremista y sectario que él había prohijado y desarrollado; que por su situación personal y su grado en el ejército, era de sentido común advertir que no sería un sujeto pasivo y sumiso a los deseos e intereses directos o indirectos del Gobernador y del organismo que había creado y que consideraba su obra maestra y muy amada. Fue así como se sacó de su tranquila y severa vida militar al General de División don Benigno Serrato.

"La sucesión de usted –escribe contrariado Múgica al enterarse– será funestísima para todo lo que significa impulso popular

94

societario y económico." ¿Qué hilos extraños había movido a *la Esfinge de Jiquilpan:* respeto al principio de no reelección, así fuera a trasmano; deseo de resaltar su obra, imposición del Jefe Máximo, marcha atrás? Ninguna conjetura extirpaba el desconcierto.

Cabe una más. En los meses del "destape" michoacano Cárdenas no se encontraba en su mejor momento político. Su gubernatura se había interrumpido varias veces: a principios de 1929, para combatir en Sonora la rebelión escobarista; de noviembre de 1930 a agosto de 1931, para ocupar la presidencia del PNR; de agosto a noviembre del mismo año, para cubrir la cartera de

94. Con Múgica escucha sones de la tierra.

95

96

95. Con Calles en la rebelión escobarista.
96. Saturnino Cedillo.

Gobernación. Aunque de todas esas encomiendas había salido airoso y en buena relación con tirios y troyanos, a mediados de 1932, con el "destape" presidencial a unos meses de distancia, su situación era incierta. Todo parecía indicar que los políticos callistas –no necesariamente Calles– dudaban de su lealtad. El 4 de mayo de 1932 el general Saturnino Cedillo escribe a un amigo:

> Charlé muy cordialmente con Calles y la línea de conducta que nos hemos trazado es firme y seria. En cuanto a nuestro amigo michoacano, dudo un poco de él, pero aún sigo creyendo que en un caso serio será formal.

En agosto de 1932 Cárdenas se cura en salud: envía a Calles copia de una nota anónima en que se le inculpa de entregar armas a los campesinos y preparar un levantamiento general. El 30 de agosto Calles lo tranquiliza... un poco: "Repítole una vez más qué concepto tengo de usted es muy elevado estando seguro siempre será usted mi mejor amigo."

El breve periodo de ostracismo que Cárdenas sufrirá al dejar la gubernatura –los dos últimos meses de 1932– confirmaría un tanto sus sospechas: se le envía a la Zona Militar de Puebla porque alguien, quizá Melchor Ortega, le "calentaba la cabeza" al Jefe Máximo. Su único consuelo de aquellos días –no pequeño, por cierto– sería el amor de Amalia Solórzano, la guapa joven de Tacámbaro con quien se casa en septiembre de 1932.

En tales circunstancias, su lectura política fue sensata y su margen de maniobra reducido. Serrato no sería su incondicional, pero como antiguo compañero de armas desde 1913, lo sabía pundoroso, honrado y sincero. A sus ojos tenía, además, la prenda mayor: era militar. Y si no podía imponer a un cardenista, podía en cambio tratar de imponer al cardenismo: Victoriano Anguiano sería secretario general de Gobierno y la amada CRMDT seguía más fuerte que nunca.

"A Cárdenas no le gustó mucho no ser el Jefe Máximo", comentaba decenios después Manuel Moreno Sánchez. Aunque Cárdenas había recomendado a Anguiano que se fuera con Serrato "y no le hiciera caso ni a él ni a sus amigos", la amputación de su brazo político –la CRMDT– y la consecuente declinación de su línea política no estaba en sus planes. Quizá ocurrió –como sospechaba Gonzalo N. Santos– que Melchor Ortega, el archienemigo de Cár-

97. Años más tarde, con Amalia y Cuauhtémoc.

97

98

99

98. Benigno Serrato.
99. Gildardo Magaña.

denas, hombre poderoso en La Piedad, "le volteó a Serrato". En todo caso, las fricciones entre el brazo político de Cárdenas y el gobierno de Serrato comenzaron al día siguiente de la toma de posesión.

Según la versión cardenista, Serrato fue un lacayo múltiple: de Calles, los hacendados, el clero; un reaccionario que desató la cacería de brujas contra los líderes sindicales de la CRMDT, el esquirolaje, las detenciones, la represión, los asesinatos de líderes –hubo 40 en su periodo. La versión serratista –que compartirían con Anguiano los jóvenes ex vasconcelistas refugiados en Morelia: Manuel Moreno Sánchez, Salvador Azuela, Rubén Salazar Mallén, Carlos González Herrejón, Ernesto Carpí Manzano– tiene siempre a Serrato por un hombre moderado, "sin goznes", que creía en la necesidad de "una nueva etapa de organización y aprovechamiento, según leyes económicas y sociológicas, de los jalones revolucionarios marcados por Cárdenas". ¿Cuál de las dos versiones se acerca a la verdad?

El predominio, aún vigente, de las visiones históricas intracardenistas dificulta el deslinde. Los estudios del tema siguen adoleciendo de una múltiple petición de principio: la CRMDT –aunque antidemocrática– fue un avance de la Revolución; el sector del pueblo que la rechazó estaba equivocado, manipulado, amenazado, fanatizado; el gobernador Serrato "se pasó de ingenuo" por querer "gobernar con todas las de la ley", es decir, por creerse gobernador. Ante estos razonamientos, conviene dar voz a la versión opuesta. Quizá el sector del pueblo que rechazaba los métodos y las ideas de la CRMDT no estaba tan equivocado, o estándolo –cuestión de valores–, era la mayoría –cuestión de democracia. Quizá el gobernador Serrato entendió que en la acción magisterial, sindical, agrarista y desfanatizadora del régimen que lo había precedido existía una buena dosis de violencia *contra* el pueblo que –con los mejores propósitos– se buscaba proteger y ayudar. En este sentido apunta el testimonio insospechable de Manuel Moreno Sánchez:

> Como magistrado del Tribunal Superior de Michoacán constaté casos de líderes que cobijados bajo el paraguas de la CRMDT cometían asesinatos. Recibí presiones para su absolución. Duró mucho tiempo la impunidad de aquellos líderes... ¡El ideal zapatista en esas manos!

Un viejo jiquilpense, amigo permanente de Cárdenas, también recordaba aquellos días con sentimientos encontrados: la pesadilla no había sido Cárdenas sino su corte: los confederados cardenistas:

100

100. Valle de Zamora.

Un germen de desunión entre todos los antiguos cardenistas y no porque unos no conceptuasen justo el reivindicador derecho a la tierra; sino porque al margen de la labor revolucionaria, vinieron los agitadores profesionales con el único fin de su medro personal, concitando los odios de unos contra otros, sin hacer caso de la ley y sólo satisfaciendo insanas pasiones, todo lo cual hubiese podido hacer y aún más en beneficio de las clases rurales, sin agitar la opinión pues hubo agricultor a quien yo oí decir que con gusto hubiese dado más de lo que se le quitó, si se hubiese suprimido tanto líder que lo único que hacían era crearle problemas al Gobierno. Toda esta obra de agitación e intriga, redundó en desprestigio de la labor administrativa del gobierno.

La más grave petición de principio ha sido creer que la vocación equivale a la realidad, que el Estado existe para procurar el bien de la sociedad y no para promoverse a sí mismo; más aún si en su cúspide gobierna un hombre bueno. Pero una lectura desapasionada del ensayo michoacano de Cárdenas sugiere conclusiones distintas: Cárdenas, que perseguía sus propios fines, se apoyó en los líderes de la CRMDT. Éstos, a su vez repitieron el esquema con sus bases, que no necesariamente coincidían con el pueblo. La prueba está en la disolución de la CRMDT en 1938: Cárdenas la parió porque como gobernador la necesitaba. Cárdenas la mató porque estorbaba a *su* gobernador Gildardo Magaña. La CRMDT, en suma, fue ante todo un instrumento político. ¿Quién hizo el papel de villano: Serrato que la combatió o el padre que la mató?

El comportamiento de los dos líderes a lo largo de su querella fue mucho más claro y digno que el de sus seguidores. Cárdenas buscó, cuando menos en dos ocasiones, pactar con Serrato. Siendo ya ministro de Guerra (marzo de 1933) y por lo tanto reivindicado plenamente en su poder, propuso que la CRMDT fuese serratista y cardenista: mitad y mitad. Serrato no aceptó, quizá porque confiaba en el triunfo de los suyos en elecciones abiertas. En una visita a Morelia a fines de 1933 (Cárdenas era ya el candidato oficial a la Presidencia de la República) los líderes de la CRMDT humillaron públicamente a Serrato. Cárdenas los dejó hacer... hasta un punto. Conocía a su enemigo.

> Sé que es un suicidio –había comentado Serrato a Anguiano– luchar contra el Gobierno Federal. A mí me matarán al salir de palacio en las Lomas de Santa María, pero si me dejan llegar a la región de La Huacana y Arteaga hasta el mar, les voy a durar más de seis meses.

A la hora buena, Serrato prueba su valentía caminando solo por las calles de Morelia entre la muchedumbre hostil. También a la hora buena, Cárdenas prueba su bonhomía, ajustada a las circunstancias: ambos militares llegan a un acuerdo sobre la composición de las cámaras locales y federales.

Meses más tarde, ya en plena gira presidencial, Cárdenas invitó a Serrato a Yucatán. Moreno Sánchez viajó con él. Los vio caminar juntos y solos por tres cuartos de hora. Los vio despedirse con marcado afecto. "¿No quiere usted saber lo que hablamos? –inquirió Serrato a su joven amigo–. Pues parece que nuestros problemas han terminado. Seré presidente del PNR."

El 1o. de diciembre de 1934, en el "besamanos" de Palacio Nacional que siguió a la toma de posesión, Anguiano vivió una escena esperanzadora:

> Para desencanto de los triunfantes vengadores, el prócer de Jiquilpan, en cuanto vio que entrábamos al salón, se desprendió del grupo de personas que lo rodeaba y vino a encontrarnos dándole un abrazo efusivo al general Serrato, ante el desconcierto de aquellos que les hubiera gustado contemplar un acto humillante. A todos nos saludó afablemente y no paró allí la desilusión de nuestros enemigos, porque después nos introdujo a su despacho privado, en el que estuvimos conversando como media hora. Habló de que acabarían definitivamente las divisio-

COMO FUE LA CATASTROFE AEREA EN QUE PERECIO EL GENERAL BENIGNO SERRATO

Resultado de la Explosión en una Cohetería

EL UNIVERSAL
EL GRAN DIARIO DE MEXICO
SEGUNDA SECCION

AÑO XVIII— TOMO LXXI | LIC. MIGUEL LANZ DURET | MEXICO, D. F., MARTES 4 DE DICIEMBRE DE 1934 | NUM. 6,605

PORTERA ASALTADA

En una Explosión Hubo 6 Víctimas

UNA HUMILDE COHETERIA CONVERTIDA EN ESCOMBROS

Un niñito de pocos años, hijo del maestro cohetero, recibió quemaduras tan graves, que dos horas después del accidente falleció en el Puesto

Los otros cinco lesionados recibieron también quemaduras de importancia. —El accidente se debió, probablemente, a una po-

El Teatro Hidalgo a Punto de ser Pasto del Fuego

AMARRADA Y AMORDAZADA Y GOLPEADA CON RECIO TUBO

Un joven rufián es el que aparece responsable de este atraco. — Se llevó quinientos pesos, que tenía guardados en su casa el señor Contreras

Este declaró que el ladrón le había ido a pedir trabajo y se lo había dado.—Probablemente de lo que trataba era estudiar la casa

TAMBIEN MURIO EL AVIADOR DRAYTON

Parece —aunque esto no se ha confirmado— que quien manejaba era el General

Ya había sufrido dos accidentes anteriores.-El cadáver será conducido a Morelia

Únicamente para EL UNIVERSAL

General Serrato, Gobernador de Michoacán, muerto en el accidente aéreo ocurrido en Ario de Rosales

UN CRIMEN CON ALEVOSIA

101

nes y los pleitos en Michoacán y que otorgaría apoyo económico y moral al Gobierno para que realizara un programa constructivo.

El sábado 2 de diciembre Serrato salió del aeropuerto de Balbuena hacia Ario de Rosales, Michoacán, en un avión semejante al *Espíritu de San Luis*, la famosa nave de Lindbergh. El experto piloto que la manejaba tenía 7000 horas de vuelo. Llegaron sin novedad a su destino. El lunes siguiente a las ocho de la mañana Anguiano estaba ya en Balbuena para recibir de nueva cuenta a Serrato, que visitaría a Calles en Cuernavaca:

> Cuando dieron las ocho y no vi en el horizonte aparecer el aparato que lo traería de regreso me inquieté seriamente. Sólo esperé diez minutos y entonces le ordené a uno de los ayudantes que fuera a un aparato telefónico y hablara al hotel "Gillow" y preguntara si no tenía yo algún recado de Morelia. Cuando vi venir corriendo al ayudante, adiviné la tragedia. Efectivamente, sólo me dijo: "Se mató el jefe al salir de Ario."

Un ex secretario del general Miguel Henríquez Guzmán asegura haber oído a su jefe quejarse de la ingratitud de Cárdenas cuando en 1952 no apoyó su candidatura a la Presidencia. "Le debía" la desaparición de Serrato. El presidente Adolfo Ruiz Cortines comentó también alguna vez que el último asesinato político en la historia contemporánea de México había sido el de Serrato. Aunque las versiones fuesen correctas, la trayectoria moral de Cárdenas, antes y después de los hechos, disuelve toda sospecha. Pero una cosa fue Cárdenas y otra, muy distinta, los cardenistas.

101. ¿Accidente?

102

Zorro con sayal

PARA CALIBRAR el extraordinario aprendizaje político de Lázaro Cárdenas entre 1928 y 1932 basta recordar que alternó su intensísima gestión en Michoacán con altos puestos federales. Aprendió a navegar en todas las aguas hasta convertirse en un piloto supremo. El testimonio de Gonzalo N. Santos –que como político "a la mexicana" no cantaba mal las rancheras– viene al caso:

> Los cardenistas profesionales pintan a Cárdenas como un San Francisco de Asís, pero eso es lo que menos tenía; no he conocido ningún político que sepa disimular mejor sus intenciones y sentimientos como el general Cárdenas (...) era un zorro.

Ante las quejas lastimeras de Cárdenas por las intrigas que padecía en "esta urbe de chismografía y egoísmos", Múgica adoptaba, una vez más, el tono sereno del maestro:

> (...) No me sorprende nada de lo que me cuenta porque siendo unos años mayor que usted y deambulado terco y tenaz por las veredas de la vida pública, he sentido en el talón la ponzoña viperina de la intriga y en el corazón el desaliento, por verla prosperar; pero yo he sido un rebelde, un agresivo y si se quiere, un imprudente y casi casi merezco haber sufrido el cataclismo que sufrí, pero no hay derecho a que usted, cauto, profundamente subordinado y siempre atento a secundar pensamientos y órdenes, sea interpretado con el criterio ruin y tonto. La intriga acaba por envenenar el ambiente de las personalidades y la calumnia siempre deja algo. Estas dos miserias son generalmente hijas de la envidia y no hay que olvidar que esta vil pasión es capaz de llevar muy lejos a quien las alimenta con un sueñuelo vislumbrado y aparentemente tangible. ¿Consecuencia? Desconfiar un poquito, ver con mayor cuidado y cautela todas las cosas y, si es preciso, repeler la agresión sin olvidar que la mejor defensa estriba en estudiar al enemigo para combatirlo en su propio terreno; pues tampoco creo justo dejar un campo que, aunque no se disputa ni se desea, es el campo del justo quilate y valor acrisolado.

Noble prédica, pero ¿la necesitaba Cárdenas? Lo más probable es que, a esas alturas –octubre de 1929– fuera ya más zorro que Múgica.

102. Habilísimo político.

103

En el fondo, Cárdenas detesta a los políticos profesionales –como Gonzalo N. Santos–; sin embargo, nunca se malquista con ellos. Por el contrario: todos parecen quererlo. Cuando Calles comenta con Santos la posible designación de Cárdenas para la presidencia del recién fundado PNR, el potosino responde:

> Me parece una gran medida ya que Cárdenas es muy bien querido por todo el elemento revolucionario y tiene grandes simpatías entre nosotros los diputados; además, cuenta con las simpatías del Gral. Cedillo y del Ing. y Cor. Adalberto Tejeda.

Cárdenas ocupó la presidencia del PNR de noviembre de 1930 a agosto de 1931. Desde el primer momento comienza a *hacer:* reorganiza *El Nacional,* diario del partido; crea la Confederación Deportiva Mexicana, inaugura el desfile deportivo del 20 de noviembre, inicia una campaña antialcohólica, acude personalmente a socorrer a las víctimas de un fuerte terremoto en Oaxaca, entabla una polémica con Luis Cabrera en la que invita a "los grupos

103. Presidente del PNR.

104

conservadores o aquellos que son francamente reaccionarios a organizarse políticamente y medir sus fuerzas a todo lo largo del curso de nuestra vida nacional, con la organización política de la Revolución''. El sentido de su gestión es "dar al PNR un carácter más señalado de organización popular''.

En el conflicto entre el Jefe Máximo y el presidente Ortiz Rubio, Cárdenas se inclinó–como siempre, con firmeza y comedimiento– por el respeto a la investidura presidencial. Su salida del PNR estuvo, cuando menos formalmente, relacionada con aquel problema. Ortiz Rubio había decidido que el mensaje presidencial de septiembre de 1931 tuviese lugar en el Estadio Nacional. Los diputados del bloque a que pertenece Santos se sienten "ninguneados'' e impugnan al Presidente. Cárdenas lo apoya y –siempre con la venia del Jefe Máximo– renuncia.

Su nuevo puesto, casi inmediato, es la Secretaría de Gobernación. Duraría en ella menos de dos meses (28 de agosto - 15 de octubre de 1931). Puso su mayor empeño en reconciliar al Jefe y el Presidente. Empeño inútil. "Lo que ocurría en realidad –apuntaría en su diario– fue que el propio general Calles no logró disciplinar las ambiciones del grupo que se consideraba presidenciable y hacían política debilitando al gobierno del Presidente.'' La

104. Secretario de Guerra.

106

querella se resuelve temporalmente con la renuncia en bloque de los militares del gabinete. La medida, propuesta por Cárdenas, inmoviliza para siempre al aliado mayor de Ortiz Rubio, el poderoso Joaquín Amaro, y refrenda el poder de Calles. A mediados de octubre de 1931 Cárdenas regresa a su patria chica guardándose sus impresiones sobre el maximato. En septiembre de 1932 Ortiz Rubio renuncia finalmente a la Primera Magistratura. La versión final de Cárdenas le fue, como es natural, favorable:

> El ingeniero Ortiz Rubio no merece las diatribas de sus enemigos políticos. No fue irresponsable en la Primera Magistratura del país; fue un patriota que vio unidos a políticos que inclinaban en su contra al propio general Calles y sabía que un rompimiento público con el general Calles provocaría la guerra civil; guerra que sería sangrienta por los irresponsables influyentes que formaban la oligarquía política, viciosa y claudicante de los principios de la Revolución.

Del 1o. de noviembre al 31 de diciembre de 1932 Cárdenas mora en el purgatorio político: desde las cumbres de su gubernatura y los elevados puestos en el partido y el gabinete, ha descendido a la Comandancia Militar de Puebla.

> Cuando Cárdenas llegó a Puebla –escribe Gonzalo N. Santos– no tenía dinero ni para rentar una casa (...) Prácticamente fue desterrado de Michoacán y sus partidarios acérrimos perseguidos y humillados por el general Calles (...) Pero Cárdenas se supo aguantar como buen tarasco, disimular y hacerse la "gatita mansa".

105

105. Con su maestro político.
106 "Quiero a Cárdenas como a un hijo".

El limbo político debió serle tan molesto como las fiebres palúicas que lo tiraron en cama unas semanas. No obstante tuvo empo para favorecer el reparto ejidal en Atencingo, la gran proiedad del autoplagiado norteamericano William Jenkins.

El 1o. de enero se le abrió el cielo: fue nombrado secretario de ;uerra y Marina en el gabinete del presidente Rodríguez. No toos sus empeños serían tan desagradables como el desarme de los graristas veracruzanos. Como hechos positivos estableció la soberanía mexicana sobre las Islas Revillagigedo, encargó 15 navíos ›ara la armada a la República Española, soñó con "un instituto acional en el que se inculque la obligación del servicio colectivo se forme el carácter que sirva para encauzar a la población nexicana por senderos más humanos".

Al aproximarse el momento del "destape", el 30 de mayo de 933, el presidente Rodríguez envió a su Jefe Máximo un memoándum revelador. Había visitado Michoacán y "logrado que desa›arecieran" las diferencias entre Cárdenas y Serrato. En seguida notaba los puntos claves:

107. En el ministerio de Guerra.

107

108

II.–Quise aprovechar los días que estuve junto con el Genera Cárdenas para observarlo íntimamente y conocer su manera d pensar, y he llegado al convencimiento de que no tiene un tem peramento radical y que su actuación en el Gobierno de Micho acán fue precisa y necesaria, tomando en cuenta que a es Estado no había llegado propiamente la Revolución en uno d sus aspectos principales y que era necesario por todos concep tos implantar ahí la reforma agraria.

Las condiciones especiales en que se desarrolló la actuació del General Cárdenas en Michoacán, principalmente por l causa apuntada, hicieron que tolerara ciertas actividades, per estoy seguro de que es un hombre respetuoso de la Ley, ani mado de buena fe y deseoso de realizar una obra nacionalista constructiva.

III.–Considero, por otra parte, que el General Cárdenas n tiene ambiciones personales, pues en reiteradas ocasiones m ha manifestado que no tiene aspiraciones a llegar a la Presiden cia de la República y que se encuentra perfectamente satisfech colaborando conmigo en el puesto de Secretario de Guerra Marina y que es, y así lo creo yo, un elemento disciplinado n solamente dentro de la Revolución sino dentro de su organism político que es el P.N.R.

IV.–Además de las cualidades a que me he referido, tengo l convicción de que el General Cárdenas es un hombre honrado, pero al mismo tiempo le reconozco dos graves defectos: primer que se deja adular por personas interesadas, y segundo que e afecto a dar oído a los chismes.

Nunca tuvo Cárdenas mejor abogado. (Santos –siempre venenoso– explica que Rodríguez detestaba a Pérez Treviño, el contrincante de Cárdenas, por haber sido novio de su esposa.) Según testimonio de Múgica, el presidente Rodríguez sugirió primero que nadie al general Calles la idea de que Cárdenas fuera el Candidato. El 3 de junio de 1933 Calles contestaba el memorándum a su "querido Abelardo":

Con todo detenimiento me enteré de todos y cada uno de los puntos tratados en tu grata citada y te manifiesto con toda la sinceridad que acostumbro que estoy absolutamente de acuerdo con tu criterio sobre los puntos tratados y que los respaldo hoy y los respaldaré con una actitud decidida.

Aunque varios gobernadores –Serrato entre ellos– se habían reunido con Calles en El Sauzal tratando de disuadirlo, el respaldo del que hablaba la carta se refería a la candidatura de Cárdenas a la Presidencia. Más allá de todas las especulaciones sobre la

108. Abelardo con su familia.

109

nfluencia de las estructuras políticas, sociales, económicas o as-rales en la decisión de Calles, los protagonistas cercanos se expli-:arían el "destape" en términos de simple y llano afecto, de con-ianza simple y llana. Según Santos, fue Rodolfo Elías Calles uien sacó el sí a su padre. Para Múgica: "un hijo de Calles actuó n el seno de la Cámara de Diputados (...) y un grupo de diputa-los lanzó la candidatura". Pascual Ortiz Rubio había oído alguna ez estas palabras en boca del Jefe Máximo: "quiero a Cárdenas omo a un hijo". Fue, por lo visto, un cónclave de hijos, reales y imbólicos. Calles no eligió a Cárdenas: le heredó.

Entre junio de 1933 –"el destape"– y diciembre –la protesta n Querétaro como candidato del PNR– Cárdenas comparte largos ías con Calles en El Sauzal, El Tambor y Tehuacán. Su actitud lenota aquiescencia, Pero hay minucias que inquietan al Jefe Máximo: Cárdenas no lo secunda en sus pasatiempos, ni en la ebida ni en la tertulia. ¿Lo secundaría a la larga en las ideas los actos? ¿Se apegaría al Plan Sexenal que oficialmente se pre-paraba?

La amplitud de la gira política de Cárdenas sólo es comparable a la que Madero emprendió antes de la Revolución. La inicia el 1o. de enero en Michoacán. Allí declara, con todas sus letras, que como Presidente hará "lo que hice al recibir el gobierno de Mi-choacán" ...crear "un frente único de trabajadores". En Veracruz alienta los planos proletarios porque le recuerdan los de Michoa-cán. En Chiapas escribe en sus *Apuntes:* "iniciaré el desarrollo del sureste llevando el ferrocarril que unirá el Istmo con Campeche y aprovechando la energía eléctrica de los ríos". Campeche lo ena-mora, pero su anhelo es "que las clases trabajadoras tengan abier-

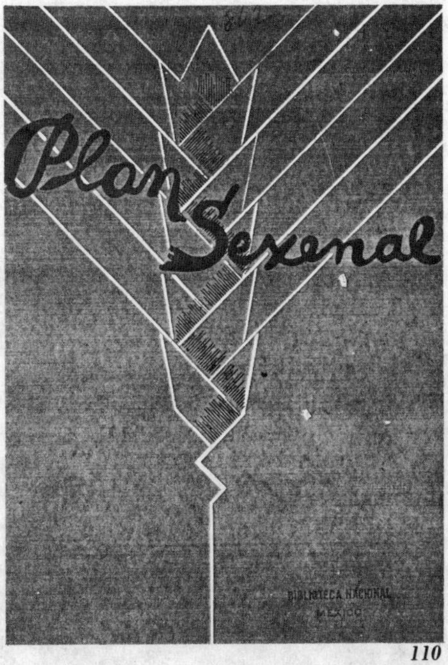

110

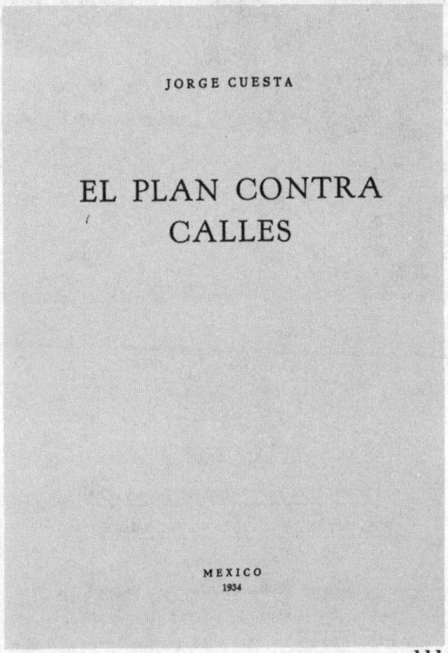

111

109. Acepta la candidatura.
110. Plan sexenal.
111. Un crítico inteligente.

11.

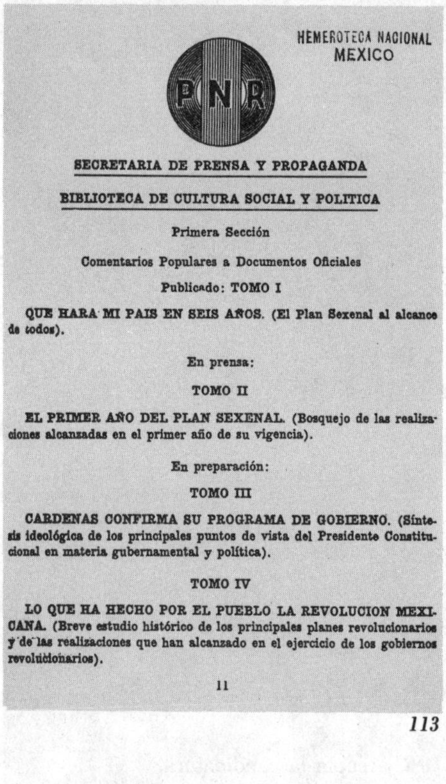

HEMEROTECA NACIONAL
MEXICO

PNR

SECRETARIA DE PRENSA Y PROPAGANDA

BIBLIOTECA DE CULTURA SOCIAL Y POLITICA

Primera Sección

Comentarios Populares a Documentos Oficiales

Publicado: TOMO I

QUE HARA MI PAIS EN SEIS AÑOS. (El Plan Sexenal al alcance de todos).

En prensa:

TOMO II

EL PRIMER AÑO DEL PLAN SEXENAL. (Bosquejo de las realizaciones alcanzadas en el primer año de su vigencia).

En preparación:

TOMO III

CARDENAS CONFIRMA SU PROGRAMA DE GOBIERNO. (Síntesis ideológica de los principales puntos de vista del Presidente Constitucional en materia gubernamental y política).

TOMO IV

LO QUE HA HECHO POR EL PUEBLO LA REVOLUCION MEXICANA. (Breve estudio histórico de los principales planes revolucionarios y de las realizaciones que han alcanzado en el ejercicio de los gobiernos revolucionarios).

11

113

tas francamente las puertas del poder". En Yucatán advierte al buen entendedor: "el postulado agrario se cumplirá muy pronto en este estado (...) Las tierras deben dárseles para que ustedes mismos (los campesinos) sigan cultivando el henequén". En Tabasco se arroba ante la obra de Garrido Canabal:

> (...) un verdadero laboratorio de la Revolución Mexicana, en el que el espíritu y las costumbres del pueblo tabasqueño, subyugado ayer por el fanatismo y el vicio del alcohol, se han transformado hoy en dignidad personal, felicidad doméstica, en conciencia colectiva libre de mitos y mentiras.

En Veracruz predica de nueva cuenta uno de sus dos ideales claves: "la división de los trabajadores de Veracruz es muy notoria (...) unirlos igual que a todos los del país será mi más empeñosa tarea".

En Oaxaca visita la zona mixe. La impresión que le deja es imborrable:

> Juquila Mixes, 1 600 m de altura. Tiene caídas de agua para dotárseles de una instalación hidráulica para luz, molino, sierra,

etc. No lo olvidaré. Es de justicia que estos pueblos indígenas tengan mayor atención, trayéndoles beneficios que no son costosos y sí de gran importancia para su educación y desarrollo económico.

Estaciones culturales del tipo de las que en Carapan, Mich., estableció Moisés Sáenz, son las que necesitan Oaxaca, Chiapas, Yucatán y demás Estados que tienen población indígena. Misión la de Carapan que con sentido paternal se granjeó el cariño de los habitantes. Y en general en todo el país se necesita el establecimiento de estaciones omisiones culturales provistas de maestros, médicos, expertos en agricultura, en industria, ingenieros para el aprovechamiento de caídas de agua, etc., que vengan a cooperar a la preparación de la masa ignorante que pierde el aprovechamiento de su esfuerzo por el desconocimiento en todo aquello que puede utilizar con mayor ventaja.

La raza mixe, de contextura moral halagadora y de historia guerrera muy meritoria. Combatió tenazmente con los españoles y zapotecas en las faldas del Zempoaltépetl.

Muestra cariño por la instrucción.

Mandar misiones culturales, compuestas de maestros, médicos y expertos en agricultura necesitan estos pueblos indígenas. Vendrán.

Mucho parecido tiene esta raza a la tarasca. He vivido dos días aquí recordando la sierra michoacana.

Tenía razón Gonzalo N. Santos: Cárdenas era un zorro, pero un zorro con sayal franciscano.

112. Con Garrido Canabal en Tabasco.
113. Jornadas sobre el plan sexenal.
114. Los visitó.
115. Hacia la silla presidencial.

114

115

El 1o. de mayo, Día del Trabajo, insiste por la radio en su proyecto unificador:

> No se trata aquí del pseudocooperativismo burgués (...) sino de un cooperativismo genuino que acabará con la explotación del hombre por el hombre, y la esclavitud del maquinismo sustituyéndolas por la idea de la explotación de la tierra y de la fábrica por el campesino y el obrero.

Ese mismo día, como un buen augurio para su proyecto, nace su hijo Cuauhtémoc.

116

117

En Guerrero el mensaje de fondo es idéntico:

> Estoy convencido (...) por mi experiencia como Gobernador de Michoacán, que no basta la buena intención del mandatario (...) es indispensable el factor colectivo que representan los trabajadores (...) Al pueblo de México ya no lo sugestionan las frases huecas: libertad de conciencia (...) libertad económica (...) El capitalismo voraz sólo acude donde encuentra campos propicios para la explotación humana.

En junio inicia su gira por los estados del Norte. Curiosamente, allí sus labios y su pluma casi enmudecen. Cárdenas se siente

116-118. La guapa Amalia.

ajeno al paisaje físico y humano. Hidalgo, San Luis Potosí, Zacatecas, Tamaulipas, Nuevo León, Coahuila, Chihuahua, Durango, le merecen sólo pequeñas notas: una mención al abandono en que están los tarahumaras, otra a los braceros. Mientras el general Eulogio Ortiz le muestra el bonito latifundio con que la Revolución le había hecho justicia, Lázaro Cárdenas apunta, desde el fondo mismo de su ser colectivo, gregario, antindividualista: "Nuestro pueblo presenta un mosaico de criterios. Trataremos de fundirlo en uno solo."

En octubre respira nuevamente: está en Jiquilpan. Piensa regresar a México pasando a caballo por la Mixteca oaxaqueña que

118

tanto lo ha impresionado: "Tengo interés de saludar a los pueblos en la parte montañosa de esa zona."

"La campaña electoral de Cárdenas –escribe Luis González– fue un viento incesante." Los números impresionaban: siete meses, 27 609 kilómetros: 11 827 en vuelo, 7 294 en ferrocarril, 7 280 en automóvil, 735 en barco, 475 a caballo. Pero más impresionante aún que este inmenso despliegue de energía fue la simplicidad, la sinceridad de su mensaje explícito: "Crear el frente único de trabajo" y "activar las dotaciones a que tienen derecho los pueblos". En suma: extender a México, por sobre un Plan Sexenal que no lo limitaba, su ensayo michoacano.

119

Aquí manda el Presidente

COMO PRESAGIO simbólico de que los tiempos cambiarían, el presidente Lázaro Cárdenas tomó varias pequeñas decisiones iniciales: dispuso la instalación de un hilo telegráfico directo para que el pueblo presentara sus quejas al Ejecutivo, abrió las puertas de Palacio Nacional a todas las caravanas de campesinos e indígenas que quisieran verlo, mudó la residencia oficial del suntuoso Castillo de Chapultepec a la modesta residencia de Los Pinos –bautizada así por su esposa Amalia– y soltó este comentario a Luis L. León, director de *El Nacional:* "–Mira Luis, es muy conveniente que desde hoy, cada vez que en *El Nacional* se mencione el nombre de mi general Plutarco Elías Calles, procuren quitarle el título de Jefe Máximo de la Revolución."

En el gabinete compartían puestos los callistas de hueso colorado con los fieles cardenistas.* Con otros puestos menores o en curules de la Cámara, Cárdenas premiaría la lealtad de muchos michoacanos que alguna vez lo ayudaron: Ernesto Prado, el líder de la Cañada de los Once Pueblos y Donaciano Carrión, su jefe en la imprenta de Jiquilpan, fueron diputados; Francisco Vázquez del Mercado, jefe de Obras Públicas de su gobierno en Michoacán, dirigiría la Comisión Nacional de Irrigación; Gabino Vázquez, su gobernador interino, pasaría al Departamento Agrario; Soto Reyes, Mora Tovar y Mayés Navarro, Puntales de la CRMDT, entrarían a las Cámaras, etcétera. El pequeño ejército de los puestos subalternos, tan importante como el gabinete, fue cardenista desde un principio.

Pero si se querían emprender cambios menos simbólicos era de todo punto indispensable asegurar la lealtad del ejército. Hasta hace unos años se pensó que Cárdenas había desplazado a Calles solamente por un acto personal de convicción y valor. Sin negar estos ingredientes subjetivos, la excelente investigadora Alicia Hernández ha sacado a la luz los movimientos subterráneos que permitieron el cambio.

En la fase inicial de *La mecánica cardenista* –título de la inves-

* Se señalaba como callistas insospechables dentro del nuevo gabinete a Juan de Dios Bojórquez (Gobernación), Narciso Bassols (Hacienda), Rodolfo Elías Calles (Comunicaciones), Tomás Garrido Canabal (Agricultura), Aarón Sáenz (Distrito Federal), general Pablo Quiroga (Guerra y Marina), doctor Abraham Ayala González (Salubridad), y como cardenistas a Ignacio García Téllez (Educación), general Francisco J. Múgica (Economía), Silvano Barba González (Trabajo), Gabino Vázquez (Agrario), Silvestre Guerrero (Procuraduría de la República), Raúl Castellano (Procuraduría del Distrito y Territorios Federales) y Luis I. Rodríguez (secretario particular).

119. Detrás de la silla, nadie.
120. Luis León no pudo torearlo.

120

121

122

121. Recibe una comisión indígena en Palacio; lo flanquean Cedillo, Portes Gil y el bigotón Graciano Sánchez.
122. Atrajo a Cándido Aguilar.

tigación– Cárdenas abre un vasto proceso de incorporación de fuerzas resentidas, relegadas, doblegadas por la dinastía sonorense: el "grupo Veracruz" de carrancistas (Cándido Aguilar, Heriberto Jara, Soto Lara); ex villistas como Pánfilo Natera; ex zapatistas como Gildardo Magaña, y, desde luego, el gran exiliado en su tierra: don Juan Geme Mu.

Después de la atroz poda de generales sonorenses ejecutada durante la década de los veinte por ellos mismos, quedaban, por supuesto, muchos generales, pero sólo tres de auténtica consideración: Joaquín Amaro, Saturnino Cedillo y Juan Andrew Almazán. El primero no se recupera –ni se recuperará– de la caída política de 1932 que lo relega al puesto casi académico de director del Colegio Militar. Al segundo, gran cacique de San Luis Potosí, Cárdenas lo haría secretario de Agricultura en la primera oportunidad. El tercero, resentido con los sonorenses, se entretiene en la Zona Militar de Nuevo León haciendo espléndidos negocios de la construcción de caminos.

A los pocos meses Cárdenas coloca "en disponibilidad" al ministro de Guerra y lo sustituye con el fiel general Algueroa, quien muere pronto. El puesto queda vacante. Cárdenas deja como subsecretario encargado del Despacho al más incondicional y antiguo de sus lugartenientes: Manuel Ávila Camacho. El cargo clave de inspector general del Ejército lo ocupa Heriberto Jara. La prensa apenas anota otro pequeño cambio: todas las compras del Ejército deberían hacerse por conducto de la Intendencia General. Con esto se daba un golpe mortal a la autonomía económica de las jefaturas. Porque es ahí, en las jefaturas, donde se requiere el manejo más fino. Cárdenas no pierde tiempo. En la delicadísima Sonora cambia de inmediato al callista Medinabeitia y lo acerca a la Primera Zona; mete a Eulogio Ortiz como pieza transitoria, y en mayo de 1935, al sobrevenir la ruptura con Calles, termina por colocar a ambos "en disponibilidad". En Jalisco instala al anticallista Guerrero; en Guanajuato, al zapatista Castrejón; en Durango saca a Carlos Real Félix y pone al carrancista Jesús Agustín Castro; en Coahuila, feudo de su opositor Pérez Treviño, coloca a Andrés Figueroa, y más tarde a un amigo de Múgica: Alejo González. ¿Resultado? Cuando el Jefe Máximo volvió en sí, el mapa militar del país era cardenista. La desmilitarización no paró allí: entre 1935 y 1938 –explica Alicia Hernández– además de los generales expulsados o los que gozaban de una "licencia forzosa", 91 de los 350 generales se hallaban "en disponibilidad".

El segundo, tercer y cuarto poderes resintieron también, muy pronto, la acción del Ejecutivo. En diciembre de 1934 Cárdenas

123. Heriberto Jara llegaría a ser flamante inspector del ejército.

123

124

124. Ávila Camacho, ministro de Defensa.

presentó personalmente al Congreso de la Unión la iniciativa para reformar por segunda vez la organización del Poder Judicial, acabando con la independencia de origen y suprimiendo la inamovilidad. En vez de la duración indefinida de los magistrados de la Corte, el Presidente estatuyó que éstos duraran en su cargo seis años: los mismos de su gobierno. El Legislativo, por su parte, no sufrió más que un golpe, eso sí, contundente: el desafuero de diputados y senadores callistas por "incitación a la rebeldía y maniobras sediciosas". La prensa disfrutó una gran libertad a todo lo largo del periodo cardenista; pero en los inicios de su gobierno Cárdenas propició cambios que, al menos potencialmente, la limitaban. Un reportero estrella de la época –Federico Barrera Fuentes– los narra:

> Muy sutilmente deja que desde su gobierno se vayan materializando las restricciones que para la libertad de prensa había anunciado Juan de Dios Bojórquez, Secretario de Gobernación. El 17 de febrero se modifica la Ley General de Vías de Comunicación en sus artículos 530, 541 y 543 y aunque oficialmente se aclara que en nada se afecta la libertad de expresión consagrada en el artículo 7o. de la Constitución, quedará prohibido el transporte de aquellas publicaciones "que denigren a la nación

o al gobierno" (...) Bassols empleó a las Fábricas de Papel de San Rafael para cometer el atraco sobre "La Prensa" y ordenó que el Banco de México pagara un adeudo de dicho periódico quedándose como era natural con las facturas. Se promovió la demanda judicial continuando San Rafael sirviendo como marioneta (...) De ese lío surgió –a propuesta de don Agustín Arroyo Ch.–, la idea de organizar la PIPSA que empezó a funcionar en octubre del mismo año.

Otra innovación: el propio Arroyo Ch. sería el director del nuevo Departamento Autónomo de Prensa y Publicidad.

Pero la palanca fundamental de cambio fue todo, menos subterránea: la agitación obrera. Al franco ascenso de la CGOCM (Confederación General de Obreros y Campesinos de México), capitaneada por el intelectual Vicente Lombardo Toledano, se sumaba el fortalecimiento aún más sólido de la Federación de Trabajadores del Distrito Federal a cuya cabeza actuaban los famosos *Cinco Lobitos*: los ex lecheros Fidel Velázquez y Alfonso Sánchez Madariaga, y tres ex choferes: Fernando Amilpa, Jesús Yurén y Luis Quintero. Estas organizaciones, junto a los ferrocarrileros, los petroleros y mineros, los electricistas, telefonistas, telegrafistas, transportistas etcétera... iniciaron, apoyaron o, en algunos casos, amagaron con una actividad huelguística sin precedente. Hubo más de 500 huelgas en el país entre diciembre de 1934 y mayo de 1935. El secretario de Educación Pública, Ignacio García Téllez, llegó a afirmar que México se encaminaba "hacia la dictadura

125

126

125. Narciso Bassols.
126. Lombardo Toledano arenga.

12

127. Ascenso obrero.

del Proletariado". El Presidente, por su parte, tenía objetivos dis tintos: matar tres pájaros de un tiro. Con su franca aprobación la ola huelguística pastoreaba a las masas obreras hacia la unifi cación que tan claramente había previsto en la campaña; la agi tación, por otro lado, daría pie a un cambio en las reglas del jueg entre patrones y obreros en favor de los más débiles y con l protección estatal; con el tiempo, en fin, la gran movilizació obrera podía ser la base inexpugnable del Ejecutivo para desem barazarse del Jefe Máximo. Que Cárdenas conocía y sabía mane jar a las masas y los líderes era cosa clara para cualquiera que s hubiese asomado a su gestión michoacana. Cualquiera, menos lo despistados sonorenses y sus paniaguados. Hacia principios d abril de 1935 Aarón Sáenz escribe a Calles:

> A mi regreso platiqué muy ampliamente con el Señor Pres dente y puedo decirle que lo encuentro muy bien: seren oyendo con interés lo que le conversé y con profunda atenció respecto a sus consejos. Creo que Ud. tiene razón en espera que sus cualidades morales son valiosas y que será muy fác lograr buen resultado y camino conveniente. Le preocupa s opinión sobre los aspectos sociales y creo que está lejos de una solución distinta de la que la Revolución debe dar a lo problemas. Se muestra deseoso de que Ud. regrese en May pues desea tener la oportunidad de conversar y lo encuentr

> animado del propósito de buscar aquel camino que realice el programa de la Revolución dentro de las directrices del plan sexenal y conforme a la voz autorizada de la experiencia. Sin duda sigue el Señor Presidente pensando en que la Revolución debe seguir su obra en beneficio de las clases laborantes; pero está consciente de que es el Gobierno quien debe señalar rumbos y está prevenido respecto a los que pudieran presentarse como logreros en la agitación, procurando la satisfacción de sus apetitos y el predominio de sus intereses personales.

"La situación calmada –agregaba Sáenz–, todo será útil y fructuoso." Lo que no veía Sáenz era para quién.

El presidente Cárdenas, por su parte, quería atraer a Calles hacia la capital. El 17 de abril le pide que regrese. Había problemas monetarios que requerían su consejo: "¿Para cuándo lo tendremos a Ud. por acá? No vaya a esperar llegue la temporada de los moscos ni a exponerse a quedar varado por las lluvias como nos sucedió el año pasado en el camino del Tambor a Navolato."

Por fin, el 2 de mayo Calles y Cárdenas se abrazan en Balbuena. Por un tiempo, todo es cordialidad. El 8 de junio se reúnen a comer:

> En ese lapso –recuerda Barrera Fuentes– sí hablaron de política y Cárdenas le dijo que ante la actitud que habían tomado los obreros y la división en las cámaras haría luego una declaración para meter a todos en cintura.
>
> Calles le sugirió: "Señor Presidente: durante su campaña electoral la bandera que enarboló fue la obrerista y no conviene que haga usted esas declaraciones. Permita usted que yo las haga haciendo un llamado a todos para cancelar la agitación y la división en el Congreso."

Cárdenas lo permitió de mil amores. El martes 11 de junio se publican las declaraciones que Calles hizo a un grupo de senadores y que había recogido también Ezequiel Padilla: habla de las divisiones, la agitación, la necesidad de tranquilidad que tiene el país, de la ingratitud de las organizaciones obreras: "vamos para atrás". El Presidente le había pedido a Luis L. León no publicarlas en *El Nacional*, pero los otros periódicos las difundieron. Uno de ellos anunció en el cintillo: "Patrióticas declaraciones del general Plutarco Elías Calles."

Cárdenas se toma largos días para contestar. Es seguro que observa las reacciones de simpatía hacia Calles. En el instante justo, rompe: acerca de él no se deslizaría el chiste sobre Ortiz Rubio: "Aquí vive el Presidente, pero el que manda vive enfrente":

128

128. Aarón Sáenz.

129

Cumplo con un deber al hacer del dominio público que, consciente de mi responsabilidad como Jefe del Poder Ejecutivo de la Nación, jamás he aconsejado divisiones –que no se me oculta serían de funestas consecuencias– y que, por el contrario, todos mis amigos y correligionarios han escuchado siempre de mis labios palabras de serenidad, a pesar de que determinados elementos del mismo grupo revolucionario (dolidos, seguramente, porque no obtuvieron las posiciones que deseaban en el nuevo gobierno) se han dedicado con toda saña y sin ocultar sus perversas intenciones, desde que se inició la actual administración, a oponerle toda clase de dificultades, no sólo usando de la murmuración, que siempre alarma, sino aun recurriendo a procedimientos reprobables de deslealtad y traición.

En este sentido, mi conciencia no me reprocha nada que pudiera signifcar, de parte mía, la menor provocación para agitar o dividir al grupo revolucionario.

Refiriéndome a los problemas de trabajo que se han planteado en los últimos meses y que se han traducido en movimientos huelguísticos, estimo que son la consecuencia de intereses representados por los dos factores de la producción y que, si causan algún malestar y aun lesionan momentáneamente la economía del país, resueltos razonablemente y dentro de un

129. Últimos encuentros con su maestro político.

espíritu de equidad y de justicia social, contribuirán con el tiempo a hacer más sólida la situación económica, ya que su correcta solución traerá como consecuencia un mayor bienestar para los trabajadores obteniendo de acuerdo con las posibilidades económicas del sector capitalista.

En un santiamén, las masas obreras salían a la calle pidiendo ı cabeza de Calles. De inmediato, también Cárdenas pidió la enuncia de su gabinete. Con la aquiescencia de Cárdenas, los enunciantes fueron en grupo a Cuernavaca a visitar al ex Jefe láximo. Los recibió en pantuflas. Juan de Dios Bojórquez le dijo ue las cosas tenían compostura, pero Calles lo interrumpió. Raúl astellano vivió la escena:

No, Juan de Dios, esto no tiene remedio, porque situaciones como la que tenemos, no se prenden con alfileres. Desgraciadamente el Presidente Cárdenas me ha interpretado mal y como ya tomó él sus decisiones, no está en mis manos cambiar nada de lo que él ha dispuesto.

os dimitentes salieron despacio y calladamente. El capítulo se erraba.

El Presidente integró su nuevo gabinete: Eduardo Suárez ocuaría Hacienda; Silvano Barba González, Gobernación; Andrés igueroa, Guerra; Rafael Sánchez Tapia, Economía; Francisco J. lúgica, Comunicaciones; Vázquez Vela, Educación; Saturnino edillo, Agricultura. De golpe y porrazo se había desembarazado

130

131

130. Juan de Dios Bojórquez.
131. "¡Fuera Calles!".

13

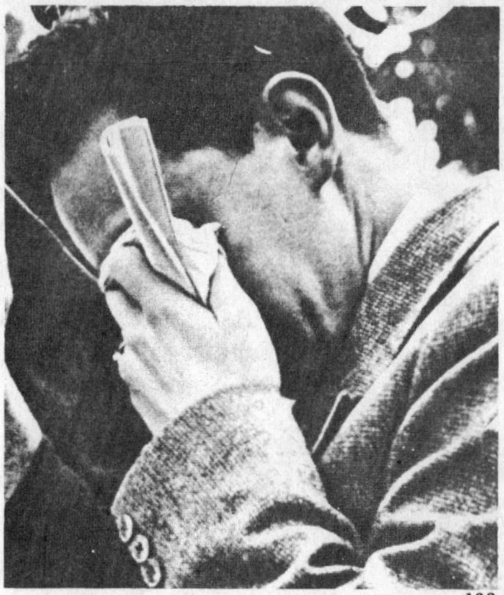

133

de Calles y de todos los callistas, incluyendo a su propio candidato a la Presidencia, el peligrosísimo Tomás Garrido Canabal y sus camisas rojas. Tratando de reavivar los tiempos de la violenta desfanatización, Garrido había propiciado masacres de católicos y estudiantes. Con la salida del tabasqueño como representante oficial a Costa Rica, Cárdenas daba el primer carpetazo a la política anticlerical que, muy en el fondo, sobre todo después de los fracasos desfanatizadores en Michoacán, no era la suya.

Faltaba una poda: los gobernadores. Entre 1935 y 1936 se declaran desaparecidos los poderes, se nulifican las elecciones o se conceden licencias forzosas en 14 estados. Según Pablo González Casanova, fue Lázaro Cárdenas quien utilizó con mayor frecuencia la facultad extraordinaria de la desaparición de poderes. En tres estados los cambios resultan espectaculares: Coahuila coto de Pérez Treviño; Nuevo León, donde se declara nulo el triunfo de Plutarco Elías Calles hijo y Guanajuato, feudo de Melchor Ortega. La operación estaba, pues, casi concluida.

El 22 de diciembre de 1935 Cárdenas confía a su querido *Diario* –te lo digo Diario para que te enteres Historia:

No debe expatriarse al general Calles y menos en el actual momento, ya que el propio general Calles y su grupo no son problema para el Gobierno, ni para las organizaciones de trabajadores; deben permanecer dentro del territorio nacional para que aquí mismo sientan el peso de su responsabilidad histórica.

El distanciamiento definitivo con el general Calles me ha deprimido; pero su actitud inconsecuente frente a mi responsabilidad me obliga a cumplir con mis deberes de representante de la Nación.

Durante el tiempo que milité a sus órdenes me empeñé siempre por seguir sus orientaciones revolucionarias; cumplí con entusiasmo el servicio, ya en campaña o actuando en puestos civiles. De su parte recibí con frecuencia expresiones de estímulo.

Recuerdo que en 1918 durante la marcha que hacíamos con la columna mixta expedicionaria de Sonora, destinada a la campaña en Michoacán, en contra de Inés Chávez García, reunidos Paulino Navarro, Rodrigo M. Talamantes, Dizán R. Gaytán, Salvador Calderón, Manuel Ortega, José María Tapia y yo –reunidos decía–, alrededor del catre en que descansaba el general Calles (que venía acompañándonos desde Sonora para seguir él a la ciudad de México), le decíamos al escuchar sus ideas sociales: "mi General, usted está llamado a ser una de las figuras principales en los destinos de la Nación", y nos contestó: "no muchachos, yo seré siempre un leal soldado de la Revolución y un amigo y compañero de ustedes. En la vida, el hombre persigue la vanidad, la riqueza o la satisfacción de haber cumplido honrada y lealmente con su deber; sigan ustedes este último camino". Y en estos términos nos hablaba cada vez que había ocasión.

¡Qué sarcasmo tiene la vida! ¡Cómo hace cambiar la adulación el pensamiento sano de los hombres! Veremos al terminar mi jornada político-social qué camino seguí, de los que nos señalaba en 1918 el general Calles.

Señalando con el ejemplo la ruta a seguir se llegará fácilmente hasta el fin.

Ha tenido la Revolución hombres que no resistieron ante la tentación de la riqueza; explotaron su posición en el poder; se volvieron mistificadores de la idea; perdieron la vergüenza y se hicieron cínicos. Sin embargo para sus adeptos siguen siendo redentores de las masas.

En 1936 Cárdenas cambia de opinión. El 9 de abril envía a Calles al exilio. El acto recibió un apoyo entusiasta. Con su magistral operación quirúrgica –y con la ayuda de un Calles enfermo,

132. Expulsión.

133. Deudos de víctimas de Garrido Canabal.

134. En el exilio.

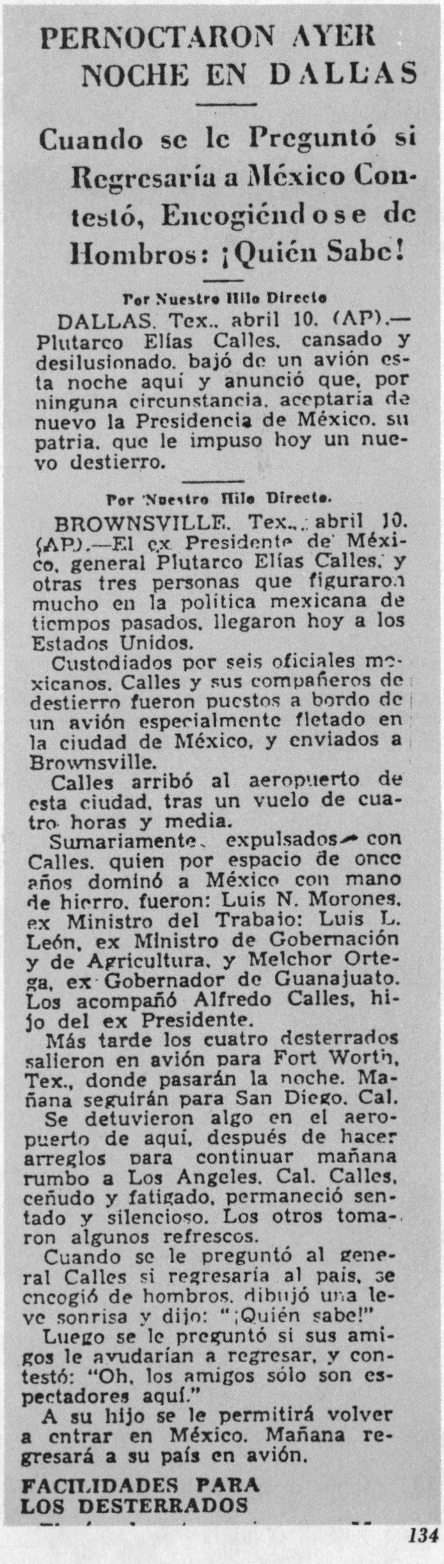

PERNOCTARON AYER NOCHE EN DALLAS

Cuando se le Preguntó si Regresaría a México Contestó, Encogiéndose de Hombros: ¡Quién Sabe!

Por Nuestro Hilo Directo

DALLAS, Tex., abril 10. (AP).—Plutarco Elías Calles, cansado y desilusionado, bajó de un avión esta noche aquí y anunció que, por ninguna circunstancia, aceptaría de nuevo la Presidencia de México, su patria, que le impuso hoy un nuevo destierro.

Por Nuestro Hilo Directo.

BROWNSVILLE, Tex., abril 10. (AP).—El ex Presidente de México, general Plutarco Elías Calles, y otras tres personas que figuraron mucho en la política mexicana de tiempos pasados, llegaron hoy a los Estados Unidos.

Custodiados por seis oficiales mexicanos, Calles y sus compañeros de destierro fueron puestos a bordo de un avión especialmente fletado en la ciudad de México, y enviados a Brownsville.

Calles arribó al aeropuerto de esta ciudad, tras un vuelo de cuatro horas y media.

Sumariamente expulsados con Calles, quien por espacio de once años dominó a México con mano de hierro, fueron: Luis N. Morones, ex Ministro del Trabajo; Luis L. León, ex Ministro de Gobernación y de Agricultura, y Melchor Ortega, ex Gobernador de Guanajuato. Los acompañó Alfredo Calles, hijo del ex Presidente.

Más tarde los cuatro desterrados salieron en avión para Fort Worth, Tex., donde pasarán la noche. Mañana seguirán para San Diego, Cal.

Se detuvieron algo en el aeropuerto de aquí, después de hacer arreglos para continuar mañana rumbo a Los Angeles, Cal. Calles, ceñudo y fatigado, permaneció sentado y silencioso. Los otros tomaron algunos refrescos.

Cuando se le preguntó al general Calles si regresaría al país, se encogió de hombros, dibujó una leve sonrisa y dijo: "¡Quién sabe!"

Luego se le preguntó si sus amigos le ayudarían a regresar, y contestó: "Oh, los amigos sólo son espectadores aquí."

A su hijo se le permitirá volver a entrar en México. Mañana regresará a su país en avión.

FACILIDADES PARA LOS DESTERRADOS

134

135

135. Adolfo de la Huerta regresó del exilio.

cansado y debilitado políticamente– Cárdenas había depuest para siempre al poder tras la Silla. Lo había hecho, además, no la manera sonorense –por y con sus pistolas– sino a la suav manera michoacana: nada contra la vida, algo, eso sí, contra l libertad de residencia, que es un poco distinto.

El cambio propició otros muchos cambios: fin de la hegemoní militar, fin de las querellas de bloques en las Cámaras, centraliza ción política en manos del Ejecutivo, domesticación de los otro poderes, ascenso de la política de masas y de un Estado corpora tivo que ya se apuntaba en la gestión de Cárdenas en Michoacán Ese gigantesco relevo histórico fue también un relevo de genera ciones: entró al escenario público la generación constructora qu había vivido sólo como testigo de la Revolución. Pasó a retiro l generación propiamente revolucionaria. El epígono de la primer tenía la virtud de haber participado activamente en la lucha. Méxi co cambió en 1935.

Cárdenas era un hombre sensible a los símbolos. Al sentirs firme en la Silla apuntó en su *Diario:*

> 8 de febrero de 1936
>
> Hoy expedí la Ley de Indulto para todos los procesado políticos, civiles y militares, cuyo número pasa de diez mi personas, que han tomado parte en rebeliones o motines e administraciones pasadas.
>
> El espíritu de esta ley es liquidar las divisiones entre lo mexicanos y a la vez dar mayor confianza al país, que facilite e desarrollo de nuevas fuentes de trabajo.

Llegaron a México Porfirio Díaz hijo, Adolfo de la Huerta Enrique Estrada, Juan Sánchez Azcona... centenares de exiliado de la Revolución. Uno de ellos, Rafael Zubarán Capmany, co mentó: "–Cárdenas tiene el corazón de Madero y el carácter d Carranza. He hablado largamente con él. Es un hombre."

Nuevo rumbo, nuevo estilo

AL ASUMIR EL gobierno de Michoacán, su táctica y programa había sido lo mismo: fortalecerse políticamente para impulsar después sus reformas sociales. En Michoacán, sin embargo, no había tenido que desplazar a algún pequeño Calles. Ya como Presidente, la maniobra le había tomado un año, la sexta parte de su periodo. A partir de 1936 podía dedicar sus energías a apoyar paralelamente sus dos ideales: el frente único del trabajo y el reparto de la tierra.

Para dejar claro que su propósito principal era concentrarse en los artículos 27 y 123, no tanto en el 3° y menos en el 130, declaró en febrero de 1936: "El gobierno no incurrirá en el error cometido por administraciones anteriores, de considerar la cuestión religiosa como problema preeminente... No compete al gobierno promover campañas antirreligiosas..."

Los profesores, que en Michoacán habían sido la punta de lanza

136. "¡Sí, protesto!".

136

137

138

desfanatizadora, recibieron una consigna distinta: "De aquí en adelante no deberá existir propaganda antirreligiosa en las escuelas. Toda nuestra atención deberá concentrarse sobre la gran causa de la reforma social únicamente."

El 30 de marzo de 1936 los feligreses de San Felipe Torresmochas agreden con armas y piedras a la misión cultural. Un maestro cae asesinado. Interviene la fuerza pública. Al enterarse, Cárdenas llega al pueblo en un santiamén. Entra al templo, sube al púlpito y arenga con iracundia al pueblo y los sacerdotes "condenando el acto criminal". En privado comenta: "Me cansé de cerrar iglesias y de encontrar los templos siempre llenos (...) el consuelo está en abrir escuelas." El episodio lo convence de una vez para siempre: había que dar marcha atrás en la política anticlerical. Así se aplacaría también al poderoso cabildeo católico en Washington. La persecución no desapareció por ensalmo, pero amainó drásticamente. Como signo de los tiempos nuevos, el cielo dispone la muerte de Pascual Díaz –el arzobispo que protagonizó la Cristiada– y el Vaticano cubre la vacante con Luis Màría Martínez, el conciliador michoacano amigo de Cárdenas.

Junto a la desfanatización –que ahora, en el ámbito nacional, tocaba a retiro– el gobernador Cárdenas había impulsado decididamente la educación. Como Presidente actuó en consecuencia, pero en un tono menor. Durante todo su periodo la querella en torno a la educación socialista estuvo a la orden del día, muy ligada a la oratoria de la época: congresos, debates, polémicas, textos doctrinales, agitación universitaria, discursos de Lombardo Toledano, amenazas, homenajes a Lenin, el aniversario de la Revolución rusa elevado a fiesta nacional en el calendario

139

137. Luis María Martínez era su amigo.
138. Discurso en San Felipe Torres Mochas.
139. Lombardo Toledano (*) y el lobito mayor Fidel Velázquez (**)

140

de la Secretaría de Educación; confusión en los programas, los maestros, los padres y los niños; dudas sobre cuál sería el sentido "racional y exacto del universo" al que crípticamente se refería el nuevo artículo 3°, mítines, fundación de la Universidad Obrera, obreros vestidos de universitarios, universitarios vestidos de obreros, nuevos discursos de Lombardo Toledano... kilómetros de tinta y bla-bla-bla. Desde el punto de vista de una posible sociología del conocimiento, no es casual que naciera una estrella: *Cantinflas.* En su espléndido libro sobre *Los días del presidente Cárdenas,* Luis González transcribe uno de los discursos del cómico:

> A nadie pudo haber escogido Lombardo mejor que a mí para solucionar la solución del problema... Como dije, naturalmente si él no puede arreglar nada y dice mucho, a mí me pasa lo mismo... ¡Y ahora voy a hablar claro! ¡Camaradas! Hay momentos en la vida que son verdaderamente momentáneos... Y no es que uno diga, sino que hay que ver. ¿Qué vemos? Lo que hay que ver... No digamos... pero sí hay que comprender la psicología de la vida para analizar la síntesis de la humanidad, ¿verdad? Yo creo, compañeros, que si esto llega... porque puede llegar y es muy feo devolverlo... Hay que mostrarse como dice el dicho... Debemos estar todos unidos para la unificación de la ideología emancipada que lucha... ¡Obrero! proletario por la causa del trabajo que cuesta encauzar la misma causa... Y ahora, ¡hay que ver la causa por la que estamos así! ¿Por qué han subido los víveres? Porque todo ser viviente tiene que vivir, o sea el principio de la gravitación que viene a ser lo más grave del asunto...

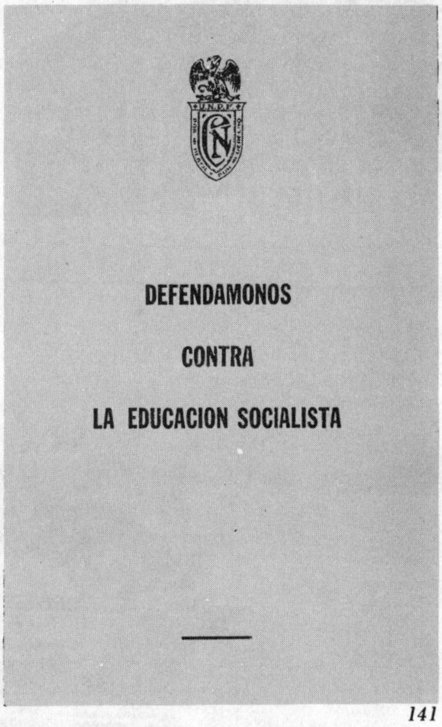
DEFENDAMONOS

CONTRA

LA EDUCACION SOCIALISTA

141

140-141. La querella en torno a la educación socialista estuvo a la orden del día.

En Palacio, por contraste, vivía el hombre a quien ya se apodaba *la Esfinge de Jiquilpan*. Podía detener la persecución religiosa pero no el bla-bla-bla ni la educación socialista. En el fondo, veía a ésta como un objetivo menor. Porque era un verdadero revolucionario había entendido lo obvio: la revolución consiste en cambiar la realidad, no en cambiar la conciencia sobre la realidad. Los frentazos en el ensayo de Michoacán no habían pasado inadvertidos.

Junto al nuevo rumbo, el nuevo estilo. Una amplia entrevista de primera plana publicada con lujo de fotos el 8 de septiembre de 1935, presentaba a Cárdenas tal como quería aparecer y casi tal como era: "ni el juego, ni la vida nocturna... seducen a nuestro actual presidente". No va a fiestas, no le gusta el protocolo, "jamás la aurora lo encontró dormido", es incansable, vital, andarín, no tiene guardias. Ha cerrado casinos y prohibido el jai-alai, pero le gustan los "deportes" campiranos:

> Le gusta el ajedrez y es respetable en ese juego; pero nada para él como las excursiones al campo. Quizá esta predilección le viene de la costumbre que hay en Jiquilpan: las gentes salen en los meses de agosto a octubre, no a "días de campo" sino muchas veces a "semanas de campo" y son familias enteras las que salen a gozar de las delicias de aquellas tierras michoacanas tan fértiles.

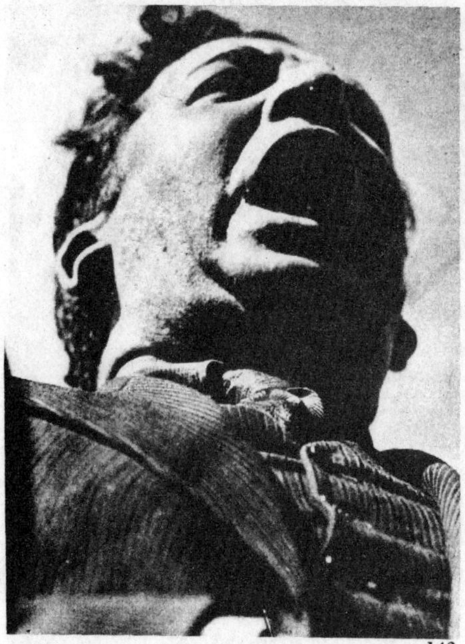

142

143

144

Su alimentación es frugal:

Su plato favorito, al menos cuando estaba en Michoacán así era, es la "morisqueta", un arroz desflemado que preparan los arrieros para su urgente apetito, al borde del camino, en pequeño socavón calentado con leña, en el que ponen una bolsa de lienzo, llena con el arroz mojado y sazonado con sal.

Le gustan los caballos, tiene varios y muy buenos. Le gustan los ranchos, tiene algunos y muy buenos. Le gustan las mujeres, y las malas lenguas le atribuyen amoríos. Desde niño ha sido fiel a un amor: "Durante más de una hora –recordaba García Tellez– juntamos tierra y apagamos el fuego. Amaba tanto al árbol como odiaba la tala. Amaba la sombra, todo lo que es un árbol, hasta un ataúd."

Nunca, ni siquiera en su toma de posesión, usó esmoquin. Casi siempre vestía traje oscuro. Era cortés en extremo: "Señor Licenciado yo le suplico... podría usted tomarse la molestia..." Despachaba en Palacio Nacional por dar dignidad a los asuntos de Estado. "Su mirada era dulce y muy humana –recuerda Raúl Castellano, su fiel y caballeroso Secretario Particular–; auxiliaba a las gentes con una gran delicadeza. Siempre se le vio tranquilo y nada nervioso." La única crítica *personal* que se le hacía desde entonces, de modo persistente, era el nepotismo: protegía con cierta exageración a sus hermanitos que también se apellidaban Cárdenas pero no eran Cárdenas.

142. Un maestro rural enseña las primeras letras.
143. Cultura en panga.
144. Pone sus ojos en dos veracruzanos: Agustín Lara y Toña la Negra.

El reparto de la tierra

SU DOBLE proyecto avanzaba. En febrero de 1936 se crea el frente único del trabajo que tanto había pregonado, una especie –sólo una especie– de CRMDT nacional: la CTM. Al consolidar la nueva organización, Cárdenas la utilizó en algunos casos como brazo político y sindical en la promoción de su siguiente objetivo: la reforma agraria integral.

Para los "revolucionarios de entonces" el ejido había sido un expediente limitado. En su informe del 1o. de septiembre de 1935 Cárdenas caracterizó el sentido original de la reforma diciendo que se trataba de dar al campesino "algo así como un *écuaro* o *pegujal* complementario del salario". Cárdenas, el "revolucionario de ahora", piensa distinto:

> Por el hecho de solicitar ejidos, el campesino rompe su liga económica con el patrón, y en estas condiciones, el papel del ejido no es el de producir el complemento económico de un salario (...) sino que el ejido, por su extensión, calidad y sistema de explotación debe bastar para la liberación económica absoluta del trabajador, creando un nuevo sistema económico-agrícola, en un todo diferente al régimen anterior (...) (Serviría) para sustituir el régimen de los asalariados del campo y liquidar el capitalismo agrario de la República.

Así, al concepto de justicia –"remediar en lo posible las desigualdades"– se aunaba el concepto económico y productivo. Había también un objetivo político más oculto: la reforma agraria quiso, ante todo, *destruir* la hacienda y el poder político de los hacendados. Muchos de ellos eran "revolucionarios" convertidos en latifundistas.

El proyecto de reforma agraria de Cárdenas se resume en una palabra: amplitud. De *ámbito:* no sólo afectaría la zona cerealera sino literalmente todo el país; de *método:* aparte de la dotación y la restitución, se recurriría a la colonización interior, el fraccionamiento y la apertura de nuevos centros de producción agrícola (de hecho estos tres últimos procedimientos se aplicarían en una gran porción de las 18 352 275 hectáreas que entre 1 020 594 campesinos Cárdenas reparte en su periodo); amplitud *jurídica:* reconocimiento de los peones acasillados como sujetos de reparto, facilidad de ampliaciones, extensión de radios por afectar, nueva Ley de Expropiación por Causa de Utilidad Pública; de *recursos:* creación del Banco de Crédito Ejidal, aumento de recursos al

145. Estampa del sexenio.

146

146. Nadie, después de Cárdenas, volvió a fijarse en ellos.

Departamento Agrario; pero, sobre todo, amplitud de *concepto:* el Estado ofrecería planes, organización, crédito, investigación, enseñanza, comunicaciones, servicios, deportes, administración honrada, riego.

Entre octubre de 1936 y diciembre de 1937 –como bien señala Luis González– Cárdenas se concentró en sus "jornadas agraristas". Arreglados los asuntos políticos en la "urbe de chismografía, egoísmos y corrupción", podía salir al campo donde "todo era puro", "vivir –en sus palabras– junto a las necesidades y angustias del pueblo para encontrar con facilidad el camino para remediarlas". Ver las cosas en concreto, una por una, no andarse por las ramas o tras escritorios o entre papeles u oyendo a los "sopas de letras". El intelectual Daniel Cosío Villegas recordaba un "espectáculo común y corriente de la época":

(Un) ejido solicitaba del Banco Ejidal un préstamo, el consejo de administración estudiaba los antecedentes y lo concedía. Entonces mi General Cárdenas se trepaba en el avión con el Director del Banco de Crédito Ejidal, que era un ingeniero de tipo muy indígena, muy pintoresco, y metían las bolsas de dinero en un avión chiquito, que era lo único que podían usar, descompensando el peso del avión, sin averiguar siquiera si el avión podía sostener el peso, en fin, poniendo la vida en peligro. Pero era la única concepción que Cárdenas tenía: llegar al pueblo que había solicitado y decir: ustedes mandaron este papel, aquí están los pesos, a ver tú (Vargas Lugo se llamaba el ingeniero). Este acto de sacar las bolsas de dinero y decir: a ver, ¿dónde están los jefes de familia? y repartir los pesos... yo tuve la impresión, cuando veía hacer estas cosas a Cárdenas, de que estaba haciendo demagogia, porque ciertamente nada le puede convencer a un indio mexicano que resolverle sus problemas de ese modo tan material, tan visible ¡Nada de papeles, ni de cheques, ni bancos, aquí está el negocio! Y, sin embargo, lo que representaba con el tiempo como la negación de todo lo que es una organización.

Así fue como Cárdenas había llegado a la meca misma del agrarismo mexicano: Anenecuilco. Francisco Franco –heredero de la confianza de Zapata y de los documentos antiquísimos del lugar– había enviado al Presidente una carta en que relataba los atropellos e injusticias de que era víctima el pueblo por parte de un grupo de generales a los que la Revolución "había hecho justicia":

> El 29 de junio de 1935 –relata Mario Gil– el presidente Cárdenas se presentó en el pueblo, y en un acto público y solemne expropió a los generales y entregó a sus dueños, los indios de Anenecuilco, las tierras de Zacuaco tal como se hallaban en esos momentos (en vísperas de cosecha), así como toda la maquinaria agrícola de la cooperativa. Dijo Cárdenas en esa ocasión que devolvía esas tierras como un homenaje histórico al pueblo iniciador de la revolución agraria. El gobierno indemnizó a los generales y les entregó otra hacienda en Tamaulipas.

Los viejos zapatistas entraron al fin en posesión de sus tierras. Les parecía tan justo y natural, y se sentían además tan legítimos dueños de esas tierras, que consideraron superfluo –tal vez hasta ofensivo– pedir al gobernante que les hacía justicia un documento que respaldara su acuerdo verbal. Al visitar el pueblo, el general Cárdenas había distribuido entre los campesinos de Anenecuilco y Villa Ayala las tierras de Zacuaco, El Sifón y La Taza. Los zapatistas tomaron posesión de las tierras; pero, como había que dar forma legal a la nueva situación, tuvieron que presentar una solicitud de ampliación de ejidos sobre la cual recayera una resolución presidencial. Ésta se firmó el 13 de mayo de 1936; por ella se concedían a Anenecuilco 244 hectáreas de riego, 232 de temporal y 3 629 de terreno cerril. Muchos de los que iniciaron la lucha al lado de Zapata

147. Visitó Anenecuilco.

147

tuvieron que esperar veinticinco años para que la Revolución les entregara su parcela. Noventa y tres cabezas de familia en Anenecuilco recibieron al fin sus tierras. La Revolución, si bien tardíamente, parecía haber hecho justicia al pueblo abanderado de la lucha agraria. Pero muy poco después, el 22 de junio de 1936, Villa Ayala presentó una solicitud de ampliación de ejidos. Al concedérsela –136 hectáreas de riego, 360 de temporal y 3 916 de cerril–, se afectaron tierras que Cárdenas había puesto verbalmente en poder de Anenecuilco. Éste protestó, solicitó del Presidente la ratificación oficial de su acuerdo, pero fue todo en vano. Como no había constancia escrita de la determinación presidencial de 1935, el 1o. de mayo de 1938 las autoridades pusieron a los de Villa Ayala en posesión de sus tierras. Anenecuilco se negó a reconocer la legalidad del acuerdo presidencial. A los campesinos despojados se les ofreció que más tarde se les darían tierras en otro lugar, para compensarlos, pero últimamente se les hizo saber que deberían pagar la mitad del importe de esos terrenos. "Para recuperar una extensión como la que nos quitaron –comentó un campesino de Anenecuilco– tendríamos que pagar como un millón de pesos."

En octubre de 1936 Cárdenas dio el primer gran paso: el reparto de La Laguna. Nadie hasta entonces se había atrevido a tocar c

EL PROBLEMA DE LA LAGUNA

El Departamento Agrario ha ordenado la creación de una Delegación que se encargue de atender las gestiones de los agricultores

El Departamento Agrario ha tomado acuerdos tendientes a cumplimentar a la mayor brevedad posible, la resolución presidencial dictada recientemente respecto al problema de la comarca lagunera.

Ha ordenado el Jefe de la dependencia indicada, licenciado Gabino Vázquez, que se cree la delegación agraria en la Laguna, cuyas oficinas centrales se instalarán en Torreón, Coahuila, con jurisdicción en los municipios de Mataloros, San Pedro, Torreón y Viesca, de Coahuila, y municipios de Gómez Palacio, Lerdo y Mapimí, del Estado de Durango. Como jefe de esa delegación ha sido nombrado el ingeniero Rafael Rufo Rosales.

Los ingenieros Manuel Avila, Rodolfo Campa, Galdino Palafox y Macedonio López Vega, representarán al Departamento Agrario en la

(Sigue en la Página Cuatro, Columna Sexta)

148

El Sábado Comenzó e Reparto de Ejidos en la Zona Lagunera

Telegrama para EL UNIVERSAL

TORREON, Coah., octubre 17 de 1936.—Hoy por la tarde empezó el reparto en las haciendas laguneras. A las diecisiete horas el licenciado Gabino Vázquez hizo la primera declaración en la hacienda "Los Angeles", perteneciente al señor Enrique Marroquín, quien obsequió a los campesinos el casco de la hacienda, que comprende tres hectáreas y una noria. Después, a las veintiuna horas se repartió la hacienda de "Venecia" y a las veintidós será repartida la hacienda de "Rinconada" del general Eulogio Ortiz, quien asist a los anteriores repartos y, cuan se hacía el de "Los Angeles", pr nunció un breve discurso, dicien que se consideraría deshonrado c mo revolucionario si no asistía so riente al reparto de las tierras su hacienda de "Rinconada".

Durante la mañana varios pr pietarios estuvieron presentándo ante el licenciado Vázquez, mar festando que estaban dispuestos que se repartieran desde luego s tierras. Estos propietarios son l siguientes: Enrique Marroquín, Sa vador Valencia, Luis J. Garza, M

14

150

siquiera a pensar en tocar, las regiones agrícolas verdaderamente modernas del país. El emporio algodonero de La Laguna sería el botón de muestra: las 220 000 hectáreas de riego pertenecían a un grupo no muy numeroso de grandes y medianos latifundistas, entre los cuales estaban los generales "revolucionarios" Pablo Quiroga, Eulogio Ortiz, Carlos Real y Miguel Acosta. Tres grandes empresas extranjeras controlaban en buena medida el movimiento económico de la zona: Lavín (española), Purcell (inglesa) y Tlahualillo (francesa). En 17 años de explotación los hacendados habían ganado 217 millones de pesos y reinvertido sólo una parte mínima. La clave del negocio lagunero estaba en las inciertas avenidas del Nazas. Únicamente los fuertes capitales podían arriesgarse a plantar sin recoger, de ahí que los latifundistas viesen siempre con recelo el proyecto oficial de construir la presa El Palmito. Temían, con razón, que al regular y tener seguro el suministro de agua, el Gobierno los expropiara.

Un buen día de otoño llegó a la Comarca Lagunera el famoso

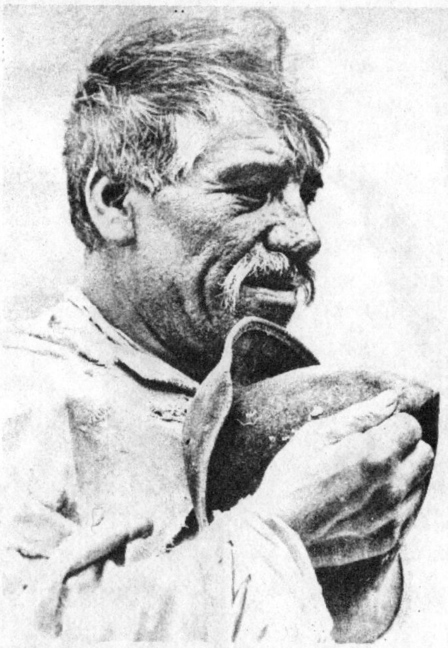

151. ¿Me hará justicia la Revolución?

Tren Olivo del Presidente. El ingeniero Vázquez del Mercado –director de la Comisión Nacional de Irrigación–, el doctor Parres y el joven ingeniero Adolfo Orive Alba –jefe del Departamento de Ingeniería de la Comisión– habían estudiado los últimos detalles de la presa, cuya construcción se habían comprometido a apoyar financieramente los latifundistas a cambio de evitar cualquier reparto. Los hacendados, plenos de confianza, disponen para el Presidente una gran comilona. Mientras las nubes se apilan presagiando un chubasco, el Presidente los hace esperar. Al Tren Olivo sólo suben y bajan filas de campesinos. Pasan las horas. Los 20 o 30 potentados sacan sus paraguas y ven partir el tren sin haber podido hablar con el Presidente. El acuerdo firmado por los latifundistas con Vázquez del Mercado carecía de valor: el ingeniero se había extralimitado.

La CTM y el Partido Comunista habían trabajado sindical y
151 políticamente la región. Cuando Cárdenas llegó, el terreno estaba abonado para el reparto. Permaneció en la zona cerca de dos meses vigilando en persona la dotación. Cuando le tocó su turno, el general Eulogio Ortiz alzó los hombros y pronunció una frase célebre: "La Revolución me dio la tierra y la Revolución me la quita." Cárdenas apunta: "Debiera haber expresado: durante la Revolución la adquirí y hoy la devuelvo al pueblo."

La entrega tuvo muchos instantes emotivos. El 10 de noviembre Cárdenas exclama: "Todo aquel que haya trabajado la tierra en base a salario (...) venga a contar con su sitio en el ejido." Diez días después, en el aniversario de la Revolución, un ex villista le entrega su vieja carabina 30-30 a cambio de un arado de hierro. Cárdenas, conmovido, le dice: "Que estos actos sirvan para la felicidad del pueblo mexicano y para mantener la paz en la Nación."

> En toda esa campaña cívica del Presidente agitador –recuerda Hernán Laborde– se destacó su interés por los problemas del hogar y la familia, su ayuda a las mujeres y los niños. Con él iba el molino de nixtamal, la máquina de coser, el brasero, el lavadero. Y la escuela rural y los servicios médicos, de salubridad e higiene. Y la cooperativa de consumo. Las madres de familia se acercaron confiadas. Se reunió con ellas en Santa Lucía, en Las Vegas, en Gilita, en La Luz... Las estimuló a organizarse en ligas femeniles. Porque –diría en su mensaje del 30 de noviembre– "la mujer lagunera es una esperanza para el México del porvenir". Y en una extraordinaria fotografía de entonces aparece Cárdenas de pie, la mano izquierda en el bolsillo del pantalón, la derecha cruzándole el pecho, confeti en la cabeza y en la cara una sonrisa de muchacho feliz, mientras un grupo de campesinas lo rodea y un chiquillo casi se le recuesta en un brazo.

152

El 28 de noviembre se había dotado ya a 28 503 campesinos con 243 341 hectáreas. Las cifras finales serían 37 753 ejidos, 447 516 hectáreas. En diciembre de 1936 Cárdenas apuntaba:

> Si se cuida la organización del ejido como ahora se ha planeado, es posible que los ejidatarios logren absorber toda la tierra que hoy queda bajo su jurisdicción. Lo ideal habría sido dejar en La Laguna un solo sistema de tenencia: el ejidal; pero no hubo posibilidades para llevar de otras zonas campesinos para aumentar la extensión de las tierras ejidales.
>
> Por hoy se da el impulso mayor que ha sido posible en favor del campesino y de la economía del país.
>
> Sigo sosteniendo que el ejido hará que se cultiven más tierras y con mayor éxito.

El novedoso sistema al que se refería Cárdenas era el ejido colectivo. La idea de su introducción fue seguramente de Lombardo Toledano. Muchos años después, en 1961, Cárdenas admitiría: "Tierras como La Laguna y otras zonas se dieron aún sin el deseo de los dirigentes de los propios campesinos, que preferían seguir la lucha manteniendo el sindicato en las haciendas agrícolas." Pero la idea de Cárdenas era liberar al campesino, no favorecer a los sindicatos.

A los cinco años del experimento colectivo, visitó la zona Marte R. Gómez, nuevo ministro de Agricultura. Halló varios problemas: el rendimiento del sector privado era muy superior al del ejidal; el Banco Ejidal no recobraba sus créditos: había franca animosidad entre los ejidatarios y los burócratas del banco; "se hicieron –apuntó– negocios sucios, corrompiendo inclusive a socios,

152. Antesala en Palacio.

delegados y jefes designados por campesinos"; el banco había dispuesto una compra inútil de semillas y animales; el reparto se había hecho con excesiva premura dando lugar a un auténtico "rompecabezas territorial".

Con todo, el panorama no era tan desolador. En los primeros años del experimento se habían puesto las bases de un desarrollo más firme. Había un alto grado de mecanización, un aumento general de prestaciones a expensas del Estado –medicina, agua, servicios, higiene–, reparto modesto de utilidades, incremento en la superficie regada por los ejidatarios, nuevas sociedades, nuevos créditos, nueva y mayor población.

Aunque al poco tiempo se abandonaba el sistema colectivo, las

153

conclusiones de Marte R. Gómez eran sensatas:

> Esta situación se ha venido transformando a medida que el campesino adquiere una conciencia más clara de la situación y comienza a sentirse verdadero propietario de su tierra. Ya se piden créditos para construir habitaciones, para perforar norias destinadas al abastecimiento de agua potable de los núcleos organizados, para la construcción de bodegas, etc. etc. Los "limos" humanos que el Nazas arrastró principian a sedimentarse.
>
> La Nación, en resumidas cuentas, puede confiar en que la obra de La Laguna no camina hacia un despeñadero. La región

153. Colectivización del campo.

> se reorganiza, su prosperidad se establece y su optimismo renace. No se trata de un optimismo ilusorio que alimenta la ceguera de un fanatismo de reformador social. Es una prosperidad que se finca en las riquezas de la tierra, en la laboriosidad y en el espíritu de empresa de los hombres de La Laguna.

A su regreso de La Laguna, con la emoción de haber dado el primer paso, el decisivo, Cárdenas apunta con puño firme y letra izquierdilla los pasos que seguirían:

> A fines de 1937 pasaremos a resolver íntegramente el problema agrario de Yucatán, que por largos años se detuvo y que

154

> es preciso terminar para salvar de la miseria a la raza indígena que es la que integra, en su mayoría, el peonaje de las haciendas de la zona henequenera.

Hacia 1935 Cárdenas había solicitado a Daniel Cosío Villegas un estudio de la zona. Las conclusiones del economista fueron desalentadoras: poco podía hacerse para elevar siquiera en lo mínimo el nivel de vida de los campesinos yucatecos, atados al cultivo de una fibra sin presente ni futuro. Cárdenas, por supuesto, desechó esas conclusiones. A su juicio la solución estaba en repartir la tierra y crear modalidades pertinentes en los sistemas de producción.

154. Colectiva de Producción y Consumo de Cucapas, B. C.

155

Yucatán era, en verdad, una zona trágica de México. El recuerdo de la pasada y efímera bonanza, y hasta las sombras del luminoso pretérito maya, volvían aún más tenebroso el horizonte. Los hacendados de la casta divina tenían años de infringir las disposiciones agrarias. La defensa de los hacendados asumía formas múltiples. Mientras organizaban asesinatos y choques sangrientos, azuzaban a los peones contra los ejidatarios.

Hacían cortes excesivos en los planteles, abandonaban las diferentes operaciones del cultivo, no sembraban para reponer los planteles en vías de agotamiento, rehusaban alquilar sus equipos de desfibre, y, en muchos casos, los desmantelaban. En su mayor parte, los patrones se acogieron al amparo contra la ley de arrendamiento forzoso de los equipos.

En el primer año de la administración cardenista, el gobernador López Cárdenas –enemigo declarado de la hacienda– reparte las primeras 2 041 hectáreas *sembradas* de henequén, amplía el reparto de ejidos y ocupa máquinas desfibradoras. Entre tanto, en México, Cárdenas encarga a otro economista –menos empírico y aguafiestas que Cosío Villegas– la elaboración de un nuevo estudio sobre la región. Su propósito era dar de golpe toda la tierra a los campesinos, abriendo una nueva etapa de prosperidad con justicia. Enrique González Aparicio ajusta sus conclusiones a esa convicción, que también es la suya.

El gobernador López Cárdenas tenía un proyecto distinto: a su juicio, la pequeña propiedad debía extenderse a 300 hectáreas –no a 150, como dispondría Cárdenas–; por otra parte, sugería

156

En Nuestro Suplemento Dominical: INFLUENCIAS LITERARIAS por AZORIN

EL NACIONAL
DIARIO POPULAR

Nosotros le Construímos su Casa
Con poco dinero y en Abonos. Hacemos planos, tramitaciones Oficiales rápidas. Licencias. Of. Téc. de "INGENIERIA Y CONSTRUCCION"

NUM. 2,972.—2a. EPOCA | Director-Gerente: PROF. GILBERTO BOSQUES | MEXICO, D. F., MIERCOLES 4 DE AGOSTO DE 1937 | AÑO IX. — TOMO XVI.

LA REVOLUCION HARA EL REPARTO DE LAS HACIENDAS HENEQUENERAS

HASTA VEINTISEIS MILLONES PUEDEN DAR LAS COMPAÑIAS PETROLERAS A SUS OBREROS

EL DICTAMEN PERICIAL SE ENTREGO AYER

Dicho Estudio Considera que las Compañías Están en Una Situación Financiera Extraordinaria

Fue Detenida la Ofensiva Facciosa Frente a Teruel

DESARROLLO DE LOS TRES

Una Derrota Rebelde en Carabanchel

SE DECLARO GOBERNADOR AL C. LABRA

DISCURSO DEL PRESIDENTE ANTE EL PUEBLO YUCATECO

UNA GRANDIOSA MANIFESTACION AL PRESIDENTE

Renovado Entusiasmo del Pueblo Yucateco Durante el Discurso

Orden en que Desfi-

HOY EMPIEZA EL CANJE DE CREDENCIALES

La Instaladora lo Hará por Orden Alfabético a los Nuevos Representantes Electos

Con los Henequenales, Reciben los Campesinos Mínima Compensación por la Sangre Derramada en sus Luchas por la Tierra

El Gobierno de la Nación no Tiene Preferencias por Algún Candidato al Gobierno Local.-Que el Pueblo Soberano, Elija

157

que el Banco Agrícola y la Comisión Agraria se abstuvieran de desplegar actitudes patronales. Los propios yucatecos podían resolver el problema, con paso firme y gradual, si el gobierno central los escuchaba. Extrañamente, a pesar de la animosidad abierta entre López Cárdenas y los hacendados, el presidente Cárdenas no se entendió con él. En su libro *Revolución contra la Revolución,* López Cárdenas escribiría:

> ...habiendo expuesto mis puntos de vista al Presidente y a las demás personas que por parte del Gobierno Federal iban a intervenir en las juntas, me hice sospechoso de estar al servicio de los latifundistas. Recuerdo algunas de las palabras del presidente de la República en este sentido: ya basta de decir estamos viendo, estamos observando, estamos estudiando; ya me cansé de que todo se arregle por los henequeneros con cheques para los gobernadores.

Todo mundo en Yucatán, empezando por el líder nato de los henequeneros, Rogelio Chalé, sabía que López Cárdenas era incapaz de transar con los hacendados. La única explicación de la actitud de Cárdenas es la impaciencia: le urgía entregar toda la tierra, y pronto. Las minucias de la voluntad local le tenían sin cuidado. López Cárdenas renunció a mediados de 1936.

El 1o. de agosto de 1937 Cárdenas llega a Mérida por ferrocarril. El día 3, acompañado por el nuevo gobernador, Palomo, desde un balcón del Instituto Literario de Mérida habla ante la multitud de la Alianza Popular:

155. Olegario Molina: el viejo zar henequenero.
156. La cruel fibra.
157. La gran noticia.

F. PALOMO VALENCIA

LOS EJIDOS DE YUCATAN
Y EL HENEQUEN

PROLOGO DEL LICENCIADO
ANDRES MOLINA ENRIQUEZ

MEXICO, D. F.
LIBRERIA DE PEDRO ROBREDO
ESQ. ARGENTINA Y GUATEMALA
1934

158

159

Después de 90 años de iniciada la última tragedia de la raza maya, viene la Revolución a entregar, con los henequenales, una mínima compensación por la sangre derramada en su lucha por la tierra (...) Los despojos de que fueron víctimas; los atentados que con ellos se cometieron; y la rudimentaria existencia a que fueron impuestos, determinaron al fin su rebeldía, que tuvo su más violenta expresión en la guerra de castas (...)

El problema agrario de Yucatán ha sido minuciosamente estudiado (...) y se ha elaborado ya el programa de conjunto que va a llevarse a cabo desde luego, tanto para satisfacer las necesidades de los pueblos como para evitar el descenso de la producción henequenera que se viene registrando a partir de 1916.

Miles de peones mayas con banderas tricolores y rojas y mantas alusivas, lo escuchaban con ardor. A los hacendados, el Presidente les hizo saber que la decisión era irrevocable. Más adelante, en el mismo discurso, los exhortó a que tomando ejemplo en el estoicismo de nuestra raza maya, que pacientemente ha resistido largos años la miseria y el abandono (...) antes que sentirse deprimidos, se dediquen a nuevas actividades seguros de que el Gobierno les prestará su más franco apoyo, ya que el Gobierno reconoce de su deber aprovechar las capacidades de todo el pueblo para el mayor desarrollo de la economía nacional.

El 8 de agosto se firmaba el acuerdo general, cuyos seis puntos salientes eran:

a) reforma al Código Agrario reduciendo la inafectabilidad de

158. Palomo terminó por criticar la acción de Cárdenas.
159. El auge del henequén no volvería.

los plantíos henequeneros a 150 hectáreas; b) la adquisición de las extensiones no afectadas de las haciendas henequeneras; c) la adquisición de los equipos desfibradores de henequén que fueren necesarios para integrar las unidades agrícolas-industriales del ejido; d) la organización en forma colectiva de la explotación henequenera; e) la realización de un plan integral complementario de la Reforma, que incluía el mejoramiento de vías de comunicación y la organización del mercado henequenero; f) la cooperación de las diversas dependencias federales para atender las necesidades sociales de los ejidatarios henequeneros.

El proyecto incluía, para el futuro cercano, la fundación de un instituto agrícola henequenero, estudios de laboratorio, comunicaciones, salubridad. El Banco Ejidal prestaría dinero sin interés por el tiempo que fuera necesario. Por lo pronto había ya 35 millones de pesos disponibles. "Cuando los ejidatarios de Yucatán digan que no es necesaria la presencia del Banco –explicaba Cárdenas– podremos cantar victoria, pues ello será un signo del triunfo absoluto de ustedes. Y la posibilidad de trasladar los elementos económicos del Banco a otras zonas."

Hernán Laborde –el inteligente líder comunista– recordaba tiempo después los pasos del presidente Cárdenas por la región del Mayab:

Al día siguiente, el primer decreto de reformas al Código Agrario. Y manos a la obra. A recorrer (en los desvencijados trenes de Ferrocarriles Unidos; en automóvil, sobre cintas de piedra blanca, bordeadas de monte bajo; en plataformas, por las vías *Decauville* de las haciendas) los pueblecitos color de rosa, orlados de vegetación, con su plaza llena de sol, su iglesia, sus típicas chozas mayas, de esquinas redondeadas y alto techo de guano. Y la inevitable visita a Uxmal. Y los desayunos y almuerzos de escabeche, o de relleno negro, o de cochinita *pibil*. En todas partes, los indios, desconfiados del *huache* que les habla en español *(bey-hunlé*... puede ser...); pero alertas al son de su propia lengua colorida y musical –de la lengua en que les hablaron todos sus caudillos y mártires desde Cecilio Chi hasta Carrillo Puerto–. Cárdenas advirtió que "cuando se ausculta su sentir y se conocen sus antecedentes, cuando los indígenas sienten que hay sinceridad hacia ellos, entonces descubren todo el acervo de cualidades, de inquietudes, de anhelos y de aspiraciones que sigue manteniendo esta raza en las profundidades de su alma."

Los hacendados, por supuesto, no dormían. La Asociación Defensora de la Industria Henequenera, eficazmente secundada

160. Habla por radio.

160

161

161. Audiencia en Yucatán.

por el *Diario de Yucatán*, forcejeaba. En una entrevista de última hora, 5 de sus afiliados –entre ellos un Molina, un Cásares, un Cámara, los nombres inevitables– intentaron conmover a Cárdenas. El Presidente escuchó tranquilo el alegato y repuso, según la versión de *El Nacional*:

"Han hablado ustedes de que les son insuficientes 150 Ha. para sus negocios; en este caso, tomando en cuenta su propia afirmación, ¿qué cantidad vamos a admitir que necesite un campesino cuya familia tiene 8 a 10 miembros? Los campesinos, al igual que ustedes, son mexicanos y padres de familia."

Y concluyó:

"Queremos ver a todos los campesinos de Yucatán con mejores vestidos, alimentación, habitaciones, diversiones y medicinas; no macilentos como ahora..."

Buen deseo de Cárdenas, no realizado todavía.

Pero el 20 de agosto, una ley del gobierno del Estado declaraba de utilidad pública la inmovilización de todo el equipo industrial de las fincas, con sus máquinas, sus implementos, sus útiles, sus animales, sus vías y plataformas. Había que asegurar los equipos para la ejecución del Acuerdo del día 8. Y el 22, ante la mesa de peones del municipio de Abalá, Cárdenas y Palomo iniciaban en la finca Temozón –tierra de Mena y Sosa–

la ejecución del Acuerdo. Con los hombres, las mujeres –descalzas, de terno blanco y rebozo– y los niños acuclillados, a la clásica manera india. Las banderas y las mantas: "Comisariado Ejidal de Temozón", "Frente Único Pro Derechos de la Mujer", "Molino de Nixtamal", "Liga Femenil *Mena y Sosa*"...

Entonces, el Jefe del Departamento Agrario tomó la palabra: "El señor Presidente de la República y el Gobernador del Estado... dan posesión de ejidos a esta zona de Abalá, que entre sus poblados tiene incluido a Temozón."

En ese instante se daban en Abalá, en Tixkokob, en Muna, en Ekmul, en Dzidzantún, en Seyé, en Tekantó, etc., 23 500 Ha de henequén y 66 700 de tierras incultas, para 8 408 jefes de familia de 70 núcleos de población ejidal. Y del 22 de agosto al 16 de septiembre se despacharon noventa y tantos expedientes con dotaciones para más de 330 núcleos de población, que se agruparían finalmente en 272 ejidos. En total, 360 mil Ha –90 mil de ellas con henequén– para 34 mil ejidatarios. Quedaba en poder de los trabajadores del 60 al 65% del henequén yucateco...

Todo ello en 23 días...

En México, Luis Cabrera publica un trabajo sobre "el ensayo comunista" de Cárdenas en Yucatán. Los "revolucionarios de entonces" lo aplauden. Los de ahora no. Hasta el escéptico Cosío Villegas escribía, esperanzado:

> Esta obra necesita de una planeación inteligente, un esfuerzo constante y enérgico, un entusiasmo fervoroso y desinteresado (...) una total desvinculación de la política, esa acción disolvente que establece la división entre las gentes, pugnas entre los poblados y odios entre los administradores del ejido.

Por desgracia, en el Gran Ejido yucateco faltarían uno a uno esos ingredientes. El gobernador Canto Echeverría procuró disminuir la influencia del nuevo patrón –el Banco Ejidal–, cuyo comportamiento era tan rígido e impersonal como el de los hacendados –aunque mucho más corrupto. En abril de 1938 se crea la empresa centralizadora Henequeneros de Yucatán, se expide una Ley de Expropiación de Equipo de Desfibre y Empaque, y un Código de Defensa Social que sanciona todo acto contra los plantíos. Un año después, explica Laborde, a Cárdenas le echan en cara la "miseria, hambre, inquietud y descontento" que priva en la zona. Los campesinos protestan en forma airada, exigen más anticipos sobre las cosechas, truenan contra la Agraria y el Gobernador, preguntan dónde se han quedado los 35 millones prometidos. Gabino Vázquez sugiere a Cárdenas olvidarse del ejido colec-

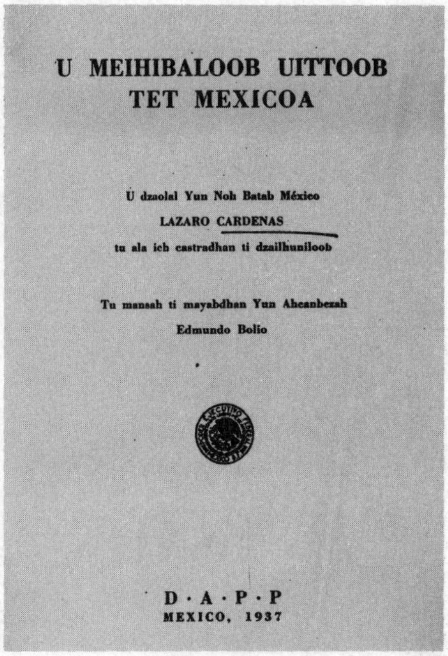
U MEIHIBALOOB UITTOOB
TET MEXICOA

Ú dzaolal Yun Noh Batab México
LAZARO CARDENAS
tu ala ich castradhan ti dzailhuniloob

Tu mansah ti mayabdhan Yun Ahcanbezah
Edmundo Bolio

D · A · P · P
MEXICO, 1937

162

162. Sus palabras en yucateco.

tivo. El Presidente lamenta: "¿Qué nos ha pedido Yucatán que nc le hayamos dado?"

A juicio de Laborde, la falla era de planeación: de los 272 ejidos, sólo 10 recibieron dotaciones correctas; es decir, que

> el henequén comprendido dentro de la superficie que les fue entregada era suficiente para cubrir sus necesidades respecto del número de ejidatarios integrantes del grupo, guardaba la debida proporción técnica entre las diferentes edades de los plantíos y no se encontraba localizado, topográficamente, de modo inadecuado al lugar de residencia del grupo ejidal respectivo (...)

16

Todos los demás grupos ejidales –262– carecían de esas condiciones y la explotación del henequén les resultaba difícil y anti económica. Marte R. Gómez visita la zona en 1941. Sus impresione son muy distintas a las de La Laguna. En declaraciones a la prensa afirma que

> las medidas agrarias con las que se pensó encontrar solución para los males del campesino yucateco no han dado todavía ningún fruto consistente (...) el ejidatario yucateco sigue viviendo (...) como en tiempos de los hacendados y en varias

163. Desfibradora.

regiones percibe un ingreso inferior al que podía obtener bajo el régimen de la explotación privada del henequén (...)

Debido a la forma de organización y administración de Henequeneros de Yucatán, el ejidatario "ni siquiera se siente un productor independiente; en su fuero interno se considera el asalariado de un gran latifundio, al que ni siquiera es justo llamar gran ejido henequenero". Años después, el mismísimo ex gobernador Palomo escribía que el reparto había sido "antieconómico" por razón de su paternalismo: "A los ejidatarios se les ha considerado menores de edad. Esta minoría ciudadana debe eliminarse y dar derecho a que vendan y compren parcelas sin que se les autorice sobrepasar los límites de la propiedad privada."

Un dirigente de izquierda, un agrónomo oficial y un ex gobernador coincidían en admitir *a posteriori* el fracaso. Quienes acertaron a tiempo fueron los anarquistas de la antigua CGT. Se habían opuesto originalmente al reparto porque "convertía al campesino en apoyo corporativo del Estado, verdadero promotor y beneficiario de la Reforma".

La Esfinge de Jiquilpan se guardó de confiar sus impresiones ni siquiera a su *Diario*. Seguía pensando, al parecer, que el sistema de reparto había sido correcto y justo, que la falla residía en el poco espíritu revolucionario de los representantes oficiales encargados de ponerlo en práctica.

En su primer viaje a Yucatán, yendo en auto con el gobernador Palomo se le había visto tender un billete a un pedigüeño que saltó al estribo: "Tome la mitad y déle el resto a otro tan necesitado como usted." En su segunda y última visita como Presidente, sus actos de caridad fueron más frecuentes. Cuando menos "eso podía dar".

Los críticos atribuirían por entero a Cárdenas el fracaso del "experimento realizado en la carne viva de un pueblo, a impulso tal vez de sentimientos generosos, pero con ligereza e imprevisión culpables". Olvidaban quizá que las condiciones anteriores al experimento eran igualmente desesperadas. No advertían que desde tiempo inmemorial, siglos antes que Cárdenas existiera, lo que había estado experimentando en la carne viva de un pueblo era una conjunción cruel de la historia y la naturaleza, invisible para los economistas, pero evidente para un poeta.

Octavio Paz vivió durante algunos meses de 1937 en Yucatán. Impresionado por la miseria de los campesinos mayas atados al cultivo y las vicisitudes del henequén, escribió un poema: "Entre la piedra y la flor."

"El Gobierno –recuerda Paz– había repartido la tierra entre los trabajadores pero la condición de éstos no había mejorado: por

16[illegible]

una parte, era (y son) las víctimas de la burocracia gremial y gubernamental que ha substituido a los antiguos latifundistas; por la otra, seguían dependiendo de las oscilaciones del mercado internacional. Quise mostrar la relación que, como un verdadero nudo estrangulador, ataba la vida concreta de los campesinos a la estructura impersonal, abstracta, de la economía capitalista. Una comunidad de hombres y mujeres dedicada a la satisfacción de necesidades materiales básicas y al cumplimiento de ritos y preceptos tradicionales, sometida a un remoto mecanismo. Ese mecanismo los trituraba pero ellos ignoraban no sólo su funcionamiento sino su existencia misma."

¿Qué tierra es ésta?,
¿qué extraña violencia alimenta
en su cáscara pétrea?
¿qué fría obstinación,
años de fuego frío,
petrificada saliva persistente,
acumulando lentamente un jugo,
una fibra, una púa?

La tierra sólo da su flor funesta,
su espada vegetal.
Su crecimiento rige
la vida de los hombres.
Por sus fibras crueles
corre una sed de arena.

164. "Seguiré repartiendo".

Oh esplendor vengativo,
única llama de este infierno seco,
¿tanto silencio hundido,
tanta fiebre acallada,
surge en tu llama rígida, desnuda,
para cantar, sólo, tu muerte?

Mas no es el ritmo oscuro del planeta,
el renacer de cada día,
el remorir de cada noche,
lo que te mueve por la tierra.

¡Oh rueda del dinero,
que ni te palpa ni te roza
y te deshace cada día!

Ángel de tierra y sueño,
agua remota que se ignora,
oh condenado,
oh inocente,
oh bestia pura entre las horas del dinero,
entre esas horas que no son nuestras nunca,
por esos pasadizos de tedio devorante
donde el tiempo se pára y se desangra.

165. "La tierra sólo da su flor funesta".

Arde, furor oculto,
ceniza que enloquece,
arde invisible, arde
como el mar impotente engendra nubes,
olas como el rencor y espumas pétreas.
Entre mis huesos delirantes, arde;
arde dentro del aire hueco,
horno invisible y puro;
arde como arde el tiempo,
como camina el tiempo entre la muerte,
con sus mismas pisadas y su aliento;
arde como la soledad que te devora,
arde en ti mismo, ardor sin llama,
soledad sin imagen, sed sin labios.
Para acabar con todo,
oh mundo seco,
para acabar con todo.

El reparto del Valle de Mexicali, en cambio, fue un éxito. Tres compañías norteamericanas habían creado un circuito económico cerrado: la Colorado River Land Co. rentaba la tierra, la Imperial Irrigation District proporcionaba el agua, la Anderson Clayton financiaba a los agricultores. Era urgente destruir tal circuito no sólo por tratarse de empresas extranjeras sino por el peligro de que en un futuro no lejano los Estados Unidos retuvieran el agua en su Valle Imperial desecando la zona mexicana. Con la posesión plena del Valle, México podría –según propuesta de Adolfo Orive Alba– negociar un canje de aguas.

Por brechas de Sonora y Baja California, sudoroso y extenuado llegó Cárdenas a Mexicali. Antes de entrar se cambió de atuendo como hacía siempre en respeto al lugar que visitaba y a su propia, solemne, investidura. "Cárdenas ofreció las tierras –recuerda Orive Alba– pero nadie quería recibirlas. La gente lo trataba con frialdad. Tuvo que recurrir a peluqueros, mozos y *croupiers*." Dos años después, quienesquiera que hubieran sido los beneficiarios, Orive Alba los vio recibir a Cárdenas como un "ídolo popular". Los ejidatarios habían pedido la división de sus ejidos en parcelas individuales y el Gobierno se los concedió. "Míralo, tócalo", decían las madres a sus niños: "Es el que nos dio la tierra."

En el Valle del Yaqui el reparto corrió una suerte ambigua. La margen izquierda del río se entregó a ejidatarios blancos y mestizos que muy pronto alcanzaron cosechas sin precedente. Se dio el caso de que una sola cosecha de arroz sobre 10 000 hectáreas produjera 1.2 millones de pesos a los 2 200 ejidatarios. La historia en la margen derecha fue distinta. Las 17 000 hectáreas de

166. Grabado de la época.

166

167

riego y las 400 000 sin él que Cárdenas dio –devolvió– a los indios yaquis, no elevaron un ápice su antigua y recelosa condición de postergados. Cárdenas les promete canales, implementos, pies de ganado, pero sus primeros y buenos deseos, por limitaciones económicas o burocráticas, no se cumplen.

En varios de sus continuos viajes por el campo se hacía acompañar de dos escritores norteamericanos que querían y defendían a México: Waldo Frank y Frank Tannenbaum. El primero fue con Cárdenas hasta la recién descubierta tumba de Monte Albán y escuchó las explicaciones del arqueólogo Alfonso Caso. El segundo, que prefería los viajes más propiamente campiranos, a lomo de mula o a pie, escribió: "Uno siempre se imagina a Cárdenas rodeado del pueblo. Adondequiera que iba las multitudes se le acercaban y se apretaban junto a él tratando de permanecer a su lado, de tocarlo (...) Atraía al pueblo como un imán." La misma estampa mesiánica de Michoacán se extendió a lo largo y ancho del país. Eran idénticos el afecto, la compasión, el trato personal, la suave cordialidad, el modo de apelar a las emociones, el gusto por los hechos concretos, la solemnidad y, sobre todo, la capacidad de escuchar: "al menos paciencia tengo para darles". Una hermosa palabra resume su actitud: misericordia.

Pero aquella misericordia no era desesperada. La movía una fe casi terca en la bondad de su obra. Meses antes del reparto de Atencingo había apuntado en su *Diario* una nota reveladora de esa fe. Cárdenas veía lo que quería ver:

Comprobamos una vez más la diferencia social que existe entre un poblado ejidal y una hacienda. Mientras que en el primero

167-168. Siempre escuchaba las penas campesinas.

los campesinos paseaban alegres con sus familias y otros se divertían en el deporte, en la hacienda de Atencingo presentaban los campesinos un estado deprimente: grupos alcoholizados, nos revelaron que la acción moralizadora no puede entrar en la hacienda (...) urge convertir en ejido este latifundio.

En 1938 el Presidente escribe una carta a sus viejos conocidos, los señores Cusi, dueños de dos haciendas en muchos sentidos ejemplares: Lombardía y Nueva Italia. Reconoce que han sido "buenos hacendados" pero les advierte la inminencia del reparto. En noviembre los campesinos reciben las haciendas completas: tierra, edificios, maquinaria, ganado, plantíos de limo-

168

nes. Esta vez no se podía fallar: era la hacienda sin hacendado. En pocos experimentos puso Cárdenas una mayor fe personal.

En un excelente estudio basado, sobre todo, en entrevistas de los años sesenta, la antropóloga Susana Glantz narró la suerte de Nueva Italia, muy distinta de la que había soñado Cárdenas.

Con objeto de no desmembrar la unidad productiva, se integró a los 1 375 campesinos dueños por vía ejidal de las 32 196 hectáreas, en cinco núcleos y una sociedad colectiva de crédito ejidal. Muy pronto los vecinos de uno de esos núcleos exponen: "Nosotros deseamos ser dueños de nuestro éxito o de nuestro fracaso. Pues de ninguna manera nos hemos convencido de que estando dentro de la sociedad podamos prosperar."

Cárdenas deniega la petición. Por un tiempo –el que dura el primer ciclo– los ejidatarios están de plácemes. En el momento del reparto los campos estaban sembrados: los buenos resultados y el poco esfuerzo los engañan. Poco después se distribuyen utilidades inexistentes; crecen en forma vertical los créditos que no se pagarán (Cárdenas los condona en 1944); aparece la corrupción en las sociedades y el banco. Un testigo recordaba:

> Era un relajo, como que nadie sabía muy bien para dónde jalar... de la noche a la mañana querían que uno supiera de todo; que sembrar, que limpiar canales, que ver el ganado y cuanto hay. En la hacienda un peón salía a sembrar o echar agua, espantar patos o cargar, pero no hacía de todo. Antes uno sabía a qué atenerse, no que después se volvió un embrollo.

Las utilidades –reales o ficticias– de los primeros años se gastaron del modo más extravagante: un estadio, o una piscina que tiempo después quedaría vacía. En 1941 los cinco núcleos se separaron para ser dueños de "su éxito o fracaso". La historia no terminaría allí. Cárdenas seguiria en contacto con la región hasta bien entrados los años sesenta: nunca se conformó con que la niña de sus ojos fuese distinta de la de sus sueños.

Dos anécdotas indigenistas: en Tajimaroa, los indios se comieron el semental de raza fina que les había regalado Tata Presidente. En Tetelcingo, "el general les dio un par de puercas de cría para que se las rifaran entre el vecindario. El ganador de una de las marranas no la quiso por grande. La segunda murió entre chillidos pocos días después y la gente fue invitada a la fiesta". Todo fue un poco así.

La misma realidad aguafiestas deforma el limpio proyecto de Cárdenas para los indígenas. Sin desarraigarlos ni modificar sus tradiciones, Cárdenas intenta ofrecer vías de mejoramiento que los alejen de la abulia, la enfermedad, la miseria, el alcohol y el fatalismo secular. Funda desde diciembre de 1935 el Departamento de Asuntos Indígenas. Idea una cruzada de salud, educación y pan: casi siempre en el papel, se integran brigadas de maestros, agrónomos, médicos, artistas y trabajadores sociales, se construyen escuelas e internados, palancas de progreso que finalmente no llegan, llegan con cuentagotas, cuando llegan nada cambian, o cambian, muchas veces, para mal.

En junio de 1939 visita a los indios yaquis. Les ofrece crear almacenes, construir puentes y casas, mediar para que los ocho pueblos establezcan sus jurisdicciones. Sólo se niega a edificarles los templos que también le piden.

169-170. Propaganda.

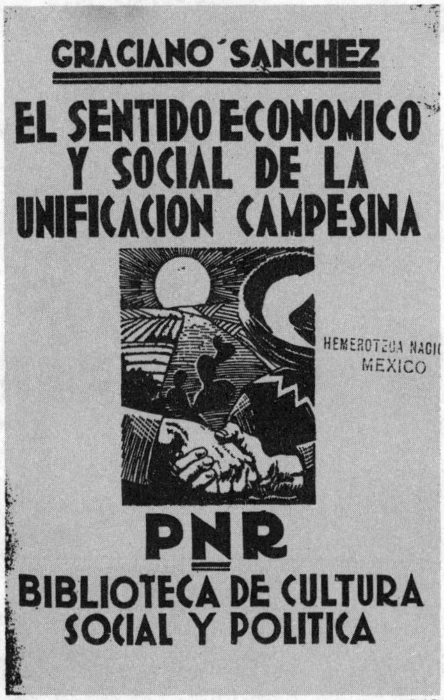

169

170

171

171-175. Los visitó, los exaltó y los honró.

En un informe del Banco Agrícola publicado en 1943 se afirmaba que de las 400 000 hectáreas en su poder, los yaquis cultivan sólo 2000. Un maestro de escuela avecindado en la región explicaba algunos motivos:

> Los acuerdos del ex Presidente Cárdenas (...) tendían a beneficiar lo mismo a los indígenas de la margen derecha que a los mestizos y criollos de la margen izquierda del río. Pero no sucedió así. Los hombres de Cajeme (...) tienen ejidos prósperos en explotación colectiva, porque se les dieron créditos y se les construyeron canales (...) Los indios sólo tienen las tierras. No tienen canales. No tienen créditos (...) Los hombres de Cajeme son sanos, felices, viven de su trabajo, tienen buenas casas, comen bien. Los indios están todos enfermos, viven del robo

gran parte del año, se emborrachan frecuentemente, viven como animales, en oscuras pocilgas (...)

"No es exacto –pensaba Cárdenas– que el indígena sea refractario a su mejoramiento ni indiferente al progreso. Si frecuentemente no exterioriza ni alegría ni pena ocultando como una esfinge el secreto de sus emociones, es que está acostumbrado al olvido." Cárdenas los visitó, los exaltó y honró, puso a su disposición una limitada oferta estatal con escasos resultados. A fin de cuentas se conformó con dar lo único que dependía directamente de él: su atención, su oído, su persona.

Desde el punto de vista económico –nacional, regional, local,

LOS PROBLEMAS
INDIGENAS
DE MEXICO

Conceptos del Sr. Presidente
de la República
GRAL. LAZARO CARDENAS
Versión al maya
por el Prof. Edmundo Bolio

★

172

173

174

175

176. En el campo todo es puro.

ejidal, individual– la gigantesca operación del reparto agrario estuvo lejos de colmar las aspiraciones del presidente Cárdenas. El súbito incremento en el gasto público, el déficit continuado de más del 40 por ciento del presupuesto durante los años 1936 y 1937, el sobregiro de 87.6 millones de pesos contra el Banco de México alimentaron el alza de precios a la que, por otra parte, contribuía también una pronunciada caída de la producción y la productividad agrícolas. En febrero de 1938 Miguel Palacios Macedo, consejero del Banco de México, sometió a las autoridades respectivas un memorándum en donde señalaba el núcleo del problema:

> Importa sobre todo suprimir los fenómenos de economía deficitaria que vienen produciéndose y agravándose con frecuencia e intensidad alarmantes y que en síntesis consisten en que el país parece empeñado en llevar un "tren de vida" que no guarda relación con la economía nacional y con la necesidad de formar los capitales requeridos por su desarrollo económico.

En términos políticos, en cambio, la reforma había tenido un éxito redondo. La clase hacendada desapareció del mapa y la palabra hacienda pasó a los manuales de historia. Los logreros de la Revolución que desde los años de lucha se habían impartido justicia adjudicándose bonitos latifundios, tuvieron que ganarse la vida por medios diferentes. Por otra parte, la reforma agraria cardenista fortificó políticamente al Estado. Había desaparecido el "amo" o el "patrón", pero lo sustituía una inmensa red burocrática que iba desde el comisario ejidal hasta las oficinas del Departamento Agrario. Es obvio que Cárdenas no había previsto ni deseado tal desenlace. Su ideal, como escribe Tannenbaum, era otro:

> (...) una nación mexicana basada en el gobierno autónomo e independiente de los pueblos, en la cual se asegurara a cada individuo su propio ejido, quedara libre de la explotación y participara activamente en los problemas de su comunidad.

En el esquema de Cárdenas había un supuesto que fallaba: la transparencia de las autoridades. El ejido vinculaba al campesino con el Estado más que con la tierra. El paternalismo se tradujo muchas veces, en sujeción. En vez de hombre libre con frecuencia el campesino se tornó capital político.

Pero quedaba un objetivo más: la simple y llana justicia. Cárdenas quiso, y en su medida lo consiguió, dignificar a los humildes. Nadie mejor que Luis González ha descrito el sentido original y profundo de aquella obra:

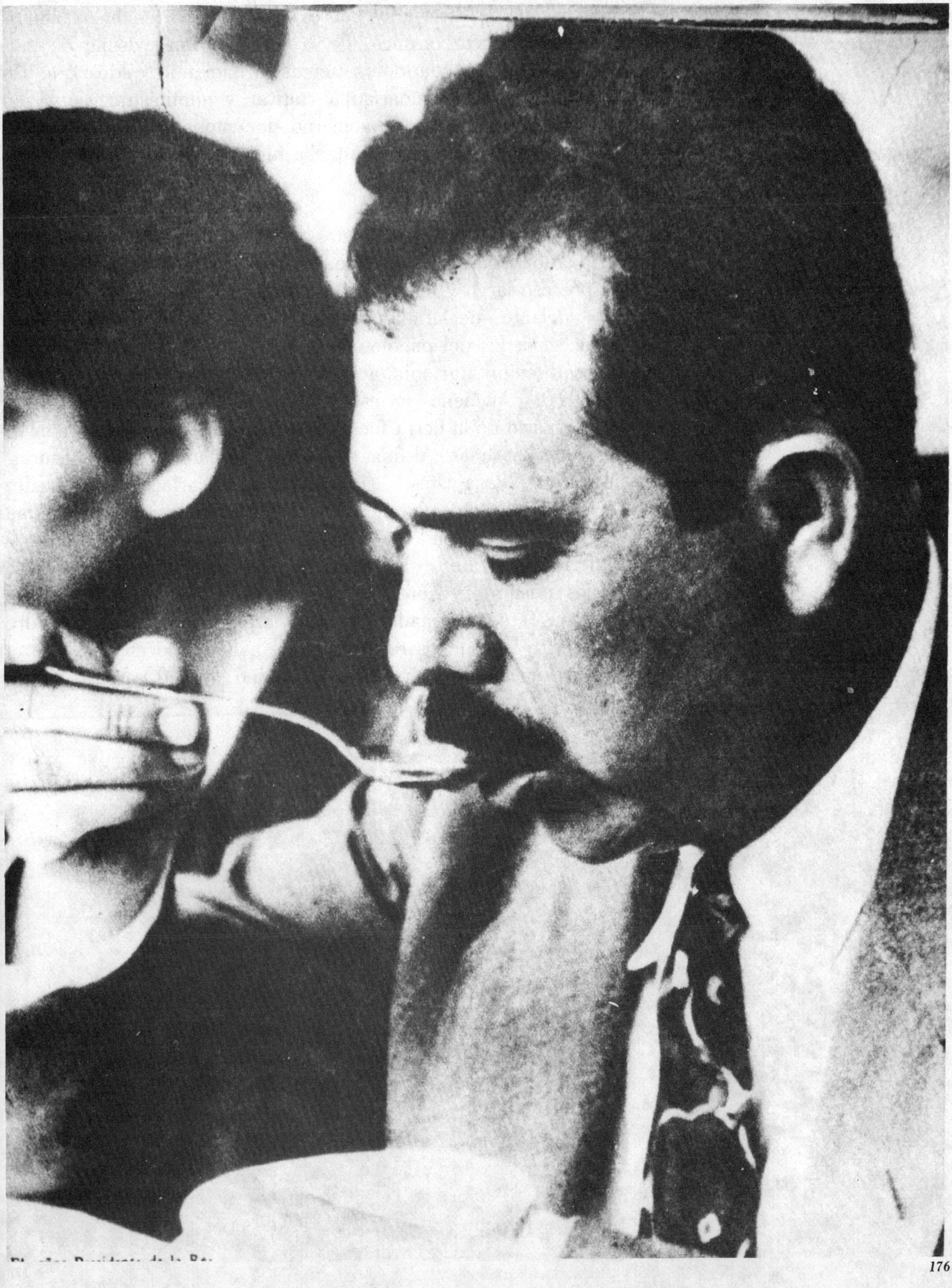

176

Se trataba de librar a los pobres del campo de los malos modos, de la conducta errática, de la reacción imprevisible de muchos patronos, dándoles tierras y haciendo ejidos que las autoridades les ayudarían a cultivar y administrar sin el fin ulterior, por parte del gobierno de entonces, de convertirlos en sirvientes del Estado. Aquélla fue una ejidización puramente humanitaria.

La confrontación de los frutos y los sueños no avivó la sensibilidad autocrítica del Presidente. A su juicio, la reforma agraria era un proceso largo y lento, con "desajustes" inevitables. "Seguiremos adelante –declaraba en diciembre de 1938– hasta que todas las necesidades del pueblo estén satisfechas (...) sea como fuere, la producción agrícola actual es mucho muy superior a la de 1910." Al menos en esta aseveración, se equivocaba.

El reparto de la tierra fue uno de los pilares permanentes en el credo de Cárdenas. Al final de su periodo pareció admitir fisuras, no meros "desajustes", en su política agraria. Luis González recuerda una anécdota que así lo sugiere. El Presidente visita San José de Gracia, donde lo recibe con todos los honores el padre Federico González, el mismo que había combatido del lado de los cristeros y contra el agrarismo en los tiempos en que Cárdenas era gobernador. Hablan largamente, solos. El padre le muestra los buenos resultados que había dado en San José el fraccionamiento de la hacienda El Sabino en 300 parcelas indivi-

177

178

duales. La gente mejoraba sus terrenos, poseía animales, producía leche. Nadie olvidaría las palabras de Cárdenas al padre:

> Si hubiera visto lo que ahora veo se hubieran hecho las cosas distinto. Esto es lo que hubiera querido hacer en todo México. No se puede hacer todo lo que se quiere. Los ingenieros no eran gentes de campo, no estaban enterados de cómo se podían hacer las cosas. Si en cada lugar hubiese alguien como usted.

La anécdota es reveladora en dos sentidos. Cárdenas admitía que "las cosas" podían haber sido hechas de modo distinto y con mejores resultados. Esto explica la desaceleración del reparto a partir de 1938, la invención de los certificados de inafectabilidad, su respeto creciente por la auténtica pequeña propiedad –él mismo poseía un puñado de ellas. Por eso cuando un vecino de San José le demuestra que se ha invadido su pequeña propiedad, ahí mismo, sobre un papel, Cárdenas ordena la restitución. Pero hay un sentido más que se desprende de sus palabras: a su juicio, el pueblo, cualquier pueblo, necesita al padre que diga y haga lo que en verdad conviene. Así, un acto en favor del pueblo efectuado con la más pura convicción de justicia, pero sin consultarlo, es no sólo antidemocrático, sino injusto en principio y, muy probablemente, en sus resultados.

177-178. Su paternalismo: buenas intenciones, pobres resultados.

Cuerpos políticos

LA CTM NO ES la CRMDT. En Michoacán apenas existía la clase obrera. En el México de 1936 la clase obrera nacional no necesita que el mandatario la invente. Los 350 000 agremiados de la nueva organización tienen cuando menos dos décadas de fogueo en la lucha sindical. La relación entre la CTM y el Gobierno será mucho más equitativa que la de sus homólogos en el periodo de Michoacán.

El beneficio inmediato que los obreros obtienen de su vínculo con el Estado es un nuevo y perdurable *modus operandi* con la clase patronal. Cuando en febrero de 1936 Cárdenas acude personalmente a Monterrey para apoyar con su presencia la huelga contra la Vidriera de Monterrey, su propósito no es –aunque así parece– que las fábricas pasen a manos de los obreros. Su gobierno no era comunista –como los patrones voceaban– ni lo movía el oro ruso. Cierto, alentaba las huelgas políticas de "solidaridad", pero todo el despliegue no tenía más sentido que el de establecer las reglas del juego entre "los factores de la producción" y entre éstos y el Gobierno, tal como quedaron expresadas en los famosos 14 puntos publicados por *El Nacional* el 12 de febrero de aquel año. Se destacan los primeros nueve:

> 1. Necesidad de que se establezca la cooperación entre el Gobierno y los factores que intervienen en la producción para resolver permanentemente los problemas que son propios de las relaciones obrero-patronales dentro de nuestro régimen económico de derecho.

179

180

2. Conveniencia nacional de proveer lo necesario para crear la Central Única de Trabajadores Industriales que dé fin a las pugnas intergremiales nocivas por igual a obreros, patrones y al mismo Gobierno.

3. El Gobierno es el árbitro y el regulador de la vida social.

4. Seguridad de que las demandas de los trabajadores serán siempre consideradas dentro del margen que ofrezcan las posibilidades económicas de las empresas.

5. Confirmación de su propósito expresado anteriormente a los representantes obreros, de no acordar ayuda preferente a una determinada organización proletaria, sino al conjunto del movimiento obrero representado por la Central Unitaria.

6. Negación rotunda de toda facultad a la clase patronal para intervenir en las organizaciones de los obreros, pues no asiste a los empresarios derecho alguno para invadir el campo de acción social proletario.

7. Las clases patronales tienen el mismo derecho que los obreros para vincular sus organizaciones en una estructura nacional.

8. El gobierno está interesado en no agotar las industrias del país, sino en acrecentarlas, pues aun para su sostenimiento material, la Administración Pública reposa en el rendimiento de los impuestos.

9. La causa de las agitaciones sociales no radica en la existencia de núcleos comunistas. Éstos forman minorías sin influencia determinada en los destinos del país. Las agitaciones provienen de la existencia de aspiraciones y necesidades justas de las masas trabajadoras, que no se satisfacen y de la falta de cumplimiento de las leyes del trabajo, que da material de agitación.

179-182. Paquetes humanos.

181

La CTM sufrió altibajos los primeros años. Los comunistas se doblegan ante la fuerza de Fidel Velázquez y sus compañeros *Lobitos*. En junio de 1936 se retiran de la organización los mineros y metalurgistas, un año después los electricistas. Para 1937, según datos del Partido Comunista, sólo quedan en la CTM el 44.3 por ciento de los agremiados originales.

En agosto de ese año Cárdenas –es decir, el Estado– comienza a pasar la cuenta: "pedimos a las organizaciones obreras (...) por conducto de sus centrales, cooperación consistente en que antes de ir nuevos movimientos a huelgas, busquen arreglos (...)"

Había que dar "preferencia" al problema de Yucatán y solidarizarse con los campesinos. Poco a poco regresan todas las agrupaciones desertoras. Los comunistas reciben la visita del líder internacional Earl Browder que, ante el ascenso fascista en Europa, ordena la "unidad a toda costa". Es el momento cumbre de la política de frente popular. Cárdenas no sólo cree en ella y la estimula: la encarna, y la capitaliza para el Estado.

Para el Estado, no para la CTM. En una decisión fundamental, desde febrero de 1936 Cárdenas bloquea la sindicalización campesina bajo la CTM aduciendo que "incubaría gérmenes de disolución". En agosto de 1938, dirigida por el honrado Graciano Sánchez, crea una organización *ad hoc:* la Confederación Nacional

183. Generoso asilo a León Trotsky.

Campesina. (Con idéntico espíritu corporativo alienta la integración oficial de las Cámaras de Comercio e Industria.) Todavía más: para no dejar todos los huevos sólo en la canasta cetemista, mantiene con vida a la CGT y la CROM. El equilibrio llega al extremo con el generoso asilo a León Trotsky. Diego Rivera se lo había solicitado en La Laguna, a fines de 1936. Trotsky llega a Tampico en enero de 37. Los comunistas y la CTM trinan. Los primeros no cejan, los segundos se pliegan. Así, con una suprema política de "divide y vencerás", el Estado cardenista se consolidaba como el protagonista de la vida nacional.

El 17 de marzo de 1939, a casi un año de la Expropiación Petrolera, Cárdenas escribe una carta a los trabajadores mineros. Después de hacer el recuento de la política agraria del Gobierno –desde La Laguna hasta Baja California–, los conmina:

> (...) no es comprensible que los trabajadores mineros, que están en un plano superior, económica y socialmente, escojan estos momentos en que se discute un acto trascendental del gobierno revolucionario llevado a cabo en ejercicio de su legítima e inegable soberanía, para agitar a las masas obreras con el aparente propósito de mantener en constante inquietud a un sector importante del proletariado y exponiéndose a dar argumentos

183

182

184

a los retardatarios y a los sectores no organizados del país para inculpar a los trabajadores de poner obstáculos y de realizar una labor antipatriótica que resta prestigio y respetabilidad a las normas revolucionarias del régimen.

Si, como espero, esto no constituye un sistema ni es parte integrante de la política de esa organización obrera, sino que se trata de actos aislados de algunas de sus secciones y muy particularmente de elementos individuales equivocados que obedecen a movimientos ajenos al movimiento obrero o a consignas antipatrióticas de sectores que no conocen nuestros problemas y que no tienen interés en la prosperidad del país, entonces esta excitativa tendrá éxito y los hará reflexionar y comprender que han escogido un camino equivocado y que lo patriótico y lo revolucionario es defender sus conquistas y pugnar por otras nuevas; pero siempre en un plan de serenidad y de cooperación con los otros sectores del proletariado que están muy lejos de alcanzar la situación que afortunadamente disfrutan los trabajadores mineros.

En 1936 las huelgas no eran desacertadas ni antipatrióticas. En 1939, sí. El sentido de fondo es idéntico: el Estado vela por la Nación, es tutor y árbitro, es el supremo juez.

La aparente "línea dura" con los obreros desde 1938 tiene como origen la tabla de prioridades nacionales a cargo del Estado. Pero quizá otro factor influyó también: el fracaso de la administración obrera de los ferrocarriles. Los años treinta fueron en todo el Occidente una era de experimentación. El *New Deal,* en particular, tuvo ese sentido. Roosevelt solía decir: "Escoja un método y pruébelo. Si falla, admita su error francamente y trate con uno nuevo. Pero sobre todo: pruebe siempre." El *New Deal* cardenista tuvo también ese carácter de continua experimentación. Luis Cabrera dio con la palabra clave: *ensayo.* Cárdenas ensaya la entrega de la administración ferrocarrilera a los obreros. Su triunfo, explica Arturo Anguiano, habría dado "un jalón hacia el socialismo". Su fracaso obligaría al repliegue y a la búsqueda franca de una nueva vía: el capitalismo industrial bajo la tutela, regulación y arbitraje del Estado.

En febrero de 1937 el ingeniero Antonio Madrazo, presidente ejecutivo de los Ferrocarriles Nacionales, había emitido un memorándum aterrador. Las continuas peticiones sindicales paralizaban a la empresa; de cada peso que ingresaba, 55 centavos se dedicaban a sueldos; la productividad decrecía; con frecuencia se

184. Las huelgas no eran desacertadas.
185. El ensayo ferrocarrilero falló.

185

186

amenazaba a los buenos operarios con la cláusula de exclusión. En junio, Cárdenas expropia la empresa y crea el Departamento Autónomo de los Ferrocarriles Nacionales, constituido en un patrimonio nacional sin propósito de lucro. Menos de un año después, en abril de 1938, entrega la administración y explotación de la empresa al Sindicato de Ferrocarrileros. Nace así la administración obrera de los Ferrocarriles Nacionales de México.

Entre agosto de 1938 y marzo de 1940 tienen lugar seis graves choques de trenes de pasajeros y centenares de accidentes menores. El 3 de julio de 1939 el licenciado Agustín Leñero, secretario particular de Cárdenas, dirige al Presidente un telegrama en torno a las causas de los accidentes:

> 1° La casi totalidad accidentes son atribuibles a falta cumplimiento sus deberes por parte trabajadores en vista haberse relajado disciplina en personal, en general. 2° Causas relajamiento son: Jefes y oficiales no imponen disciplina apropiada debido causas enuméranse enseguida: a) Por habérseles suprimido, casi en totalidad, las facultades de que disfrutaban y haberlas delegado en Comisiones Mixtas, que no han dado resultado satisfactorio; b) Por haber sido electos, dichos Jefes y Oficiales, en general a base de recomendaciones de determinados grupos de trabajadores, por votación en asambleas, lo que a veces logróse con aportación masas nuevas algunos grupos

186. Descarriló.

directores Sindicato, lo que hace que Jefes y Oficiales queden obligados satisfacer necesidades de esos grupos; c) Por temor a ser removidos también a solicitud trabajadores, como ha sucedido frecuentemente, en vez de que sea la Administración la que debe hacerlo motu proprio; d) Por temor Cláusula de exclusión; e) Por presión Comités Ajustes que en muchos casos no han llegado a comprender su papel y no colaboran con Administración formada por mismos obreros; f) por innumerables requisitos exigen los contratos para comprobación de las faltas; g) Porque en elección Jefes y Oficiales se ha pospuesto la capacidad a la antigüedad en servicio.

Al poco tiempo, atendiendo a las sensatas sugerencias de su ministro de Hacienda, Eduardo Suárez, Cárdenas se dispone a aceptar el repliegue del ensayo.

187

187. Se replegó.

188

18

188. El grito.
189. Marcha de la CTM.

No debe extrañar que el régimen facilite la unión de las clase trabajadoras, así manuales como intelectuales, alrededor de Partido. La administración actual que es consecuencia del Movimiento Revolucionario, reconoce su obligación de reunir a lo grupos dispersos para que no actúen anárquicamente.

En la médula del nuevo proyecto estaba el *credo* colectivista d Cárdenas y su desdén por el "individualismo anárquico": "E colectivismo –sostenía– no está reñido con la democracia. No sól eso, sino que en la propia organización colectivista se practican la reglas de la democracia."

Pero aún en los casos más difíciles de obstrucción mental e nuestros indios, esta misma intuición los lleva a sentir preferencias entre sus propias gentes, a abrigar simpatías por determinado amigo y a depositar su confianza en quien, entre su grupo sabe que busca su mejoramiento y que, además, lo est palpando con hechos. Ese depositario de la confianza del indio o del campesino ya colocado en un nivel superior, tiene confianza, a su vez, en el dirigente social o político, y así, encadenándose, vienen las pequeñas reuniones primero, las asambleas, los mítines después, hasta que la simpatía intuitiva del indio queda plasmada en la urna electoral.

El *credo* colectivista de Cárdenas, como cualquier otro credo, era impermeable a los datos incómodos de la realidad. "Lo que hasta el presente se ha hecho –comenta a Regino Hernández Llergo– está bien hecho, y no hay de que arrepentirse... Nada hay que rectificar." El joven crítico Rubén Salazar Mallén escribió a principios de 1939 que el país vivía, en lo político, "un nuevo porfirismo":

Aquí el ejercicio de la democracia es una triste mascarada (...)

190

un embuste peor que la usurpación mendaz del nombre de pueblo (...)

¿Qué líder representa al pueblo, a una fracción del pueblo siquiera? La carne de sindicato es carne esclava.

Los malos líderes –respondería Cárdenas– "son golondrinas que no hacen verano". Pero tal vez Salazar Mallén tenía razón. Después de 30 años del inicio de la Revolución un nuevo padre integral había vuelto a la vieja receta de Alamán, Molina Enríquez y Porfirio Díaz: México como un edificio corporativo. La Revolución sólo había dado una composición social al diseño. "Los mexicanos –escribe Arnaldo Córdoba– fueron incapaces de percibir el gigantesco proceso de corporativización que el cardenismo estaba llevando a término." Salazar Mallén fue una excepción: había editado la revista *Brecha* en Michoacán, en tiempos de Cárdenas y Serrato.

190. Marcha de la CGT.
191. Contramarcha.

191

Nadar en el volcán

CÁRDENAS NO había olvidado su experiencia en la Huasteca veracruzana, en "Tuxpan de ideales." El trance de aquella remota huelga lo había marcado: la prepotencia de las compañías, sus evasiones fiscales, la pobreza de la zona, la división entre los obreros, la final aquiescencia del presidente Calles. Los petroleros constituían un Estado dentro del Estado mexicano.

Desde principios de su gestión, el Presidente da indicios de endurecimiento frente a los petroleros. El 1o. de septiembre de 1935 declara:

> La aplicación de la Ley del Petróleo de 1925 en lo que a concesiones ordinarias se refiere, ha demostrado no responder al principio fundamental del artículo 27 constitucional. En efecto, permite la incorporación de enormes extensiones de terreno sin trabajar.

Los hechos se suceden en un continuo *crescendo*. En 1936 se publica la Ley de Expropiación por causa de Utilidad Pública, pero el embajador Josephus Daniels recibe seguridades por parte del Presidente de que no se aplicará en los casos del petróleo y

192. Extrayendo petróleo.

192

193

las minas. A mediados de año, los 18 000 obreros del Sindicato de Trabajadores Petroleros de la República Mexicana emplazan con éxito a las compañías a la firma del primer contrato colectivo de trabajo. A principios de 1937 el secretario de Comunicaciones, Múgica, elabora un proyecto en donde se vuelve a estipular lo que él mismo había impulsado 20 años antes en Querétaro: los yacimientos pertenecen a la Nación. Según Lorenzo Meyer –autor del libro clásico sobre el conflicto petrolero–, Cárdenas niega que se pretenda afectar derechos adquiridos y congela el proyecto de su mentor. Con todo, crea la Administración Nacional de Petróleo.

A mediados de 1937 surge, de nueva cuenta, un problema laboral. El Presidente y los ministros Múgica y Suárez niegan repetidamente que el Gobierno abrigue el propósito de nacionalizar. Con el reparto agrario en su punto culminante, la necesidad, por el contrario, era de recursos. Cárdenas, no obstante, escribe para sí en junio de 1937: "Toda la industria del petróleo debe venir a manos también del Estado para que la Nación aproveche la riqueza del subsuelo que hoy se llevan las compañías extranjeras. Para ello seguiremos otro procedimiento."

La Junta de Conciliación y Arbitraje declara que entre las empresas y el sindicato existe un conflicto económico por lo que, de acuerdo con el derecho laboral, se designa una junta de peritos dictaminadores. Bajo la dirección de Efraín Buenrostro, Mariano Moctezuma y Jesús Silva Herzog los peritos emiten finalmente un documento de 2 700 cuartillas con 40 conclusiones desfavorables a las compañías. Uno de los peritos que intervino en el estudio, el

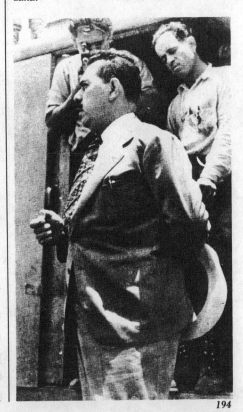

193. Castillo Nájera explica a Daniels.
194. No olvidó su experiencia veracruzana.

194

195

contador Alejandro Hernández de la Portilla, recuerda que las compañías abundaban en recursos de adulteración de cuentas: el ocultamiento de utilidades por medio de gastos y sueldos inflados era sólo uno de ellos. El veredicto era claro: podían pagar los 26 millones de pesos que los obreros exigían, no sólo los 12 que estaban ofreciendo.

Las compañías –explica Meyer– no se enfrentaban ya al sindicato o a la CTM sino al Gobierno. Cárdenas expuso a Daniels que en adelante la fijación de impuestos y salarios se haría con intervención oficial. Era el desenlace natural de aquel peritaje. Por su parte, las compañías buscan refutar el informe elevando al mismo tiempo su oferta a 20 millones.

Entre agosto y octubre de 1937 se celebran varias entrevistas entre el Presidente y los petroleros. Éstos optan por su consabida línea dura. "La reacción del Presidente no fue clara: escuchó, ofreció mediar. En cambio la respuesta de la Standard Oil en noviembre fue del todo clara: 'No podemos pagar y no pagaremos.' " Su cálculo era simple: el Gobierno no se atrevería a ir más lejos; carecía de personal para manejar la industria, de mercados para colocar los productos y de recursos para financiarse. Para sorpresa general, en esos días el Gobierno toma una medida sin precedente: cancela una concesión de 1909 a la Standard Oil, con lo cual rasgaba el tabú de no tocar las concesiones confirmatorias.

La siguiente movida de ajedrez consiste en buscar la división. El Gobierno concede a El Águila –compañía anglo-holandesa– una concesión en Poza Rica a cambio de la aceptación en sus términos del artículo 27 y una participación de entre el 15 y el 35 por ciento de la producción. A fin del año, Castillo Nájera –el embajador de México ante Washington– busca un acuerdo general de sociedad con las empresas norteamericanas, aduciendo la ex-

195. Mesa directiva de la Convención de obreros petroleros.

ansión de El Águila. Finalmente, la maniobra se frustra con nbas.

El 18 de diciembre la Junta Federal de Conciliación y Arbitraje nite su fallo: las compañías deberían cubrir 26 332 752 pesos los obreros y emplear 1 100 empleados de confianza. Las comañías reclaman denegación de justicia. Para ellas se trata del ontrato "más extremista que jamás se hubiera dado a trabajado-es en cualquier industria de cualquier país". El 29 solicitan el nparo a la Suprema Corte de Justicia. Las reservas del Banco de éxico se desploman. Uno de sus balances ni siquiera se publica.

"La esencia misma del poder –apunta Meyer– estaba en iego." El 1o. de marzo de 1938 la Corte falla contra las compañías: la fecha límite para el pago de los 26 millones sería el 7 de iarzo. A todo esto, el gobierno de Washington ha reaccionado on desusada prudencia. Es cierto que Morgenthau –secretario del esoro– se niega a convenir con México un arreglo de compra e plata a largo plazo, pero en el otro lado de la balanza está el nbajador Daniels. "No es un amigo de las compañías –explica leyer– sino un auténtico exponente de la política del 'buen ecino'."

Cárdenas había tenido una junta con Armstrong, el represenınte de las compañías. En ella había rehusado bajar la cifra, pero abría la puerta a otro tipo de concesiones. El 8 de marzo, en una ueva y candente reunión con el Presidente, la oferta oficial es ún mejor: con el pago de los 26 millones el Gobierno se comproetía a la reglamentación del laudo para evitar posteriores dificuldes. Silva Herzog escuchó el diálogo que siguió a esta idea:

–¿Y quién nos garantiza que el aumento será sólo de 26 millones?

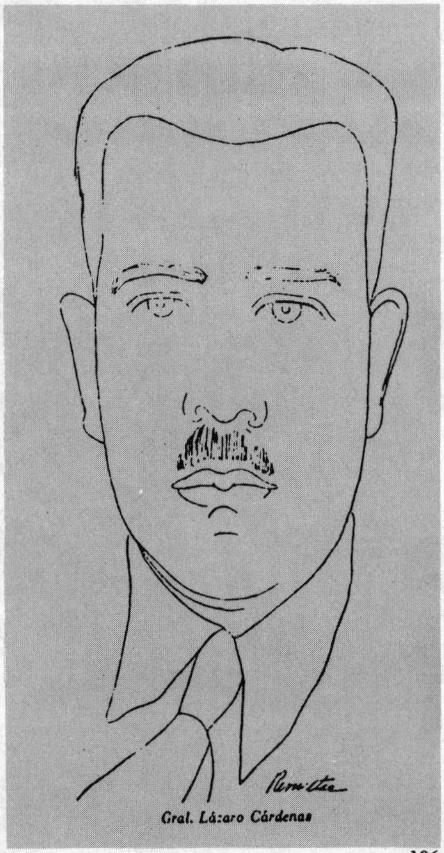

196

197

196. Su poder estaba en juego.
197. Miembros de la Cuarta Sala de la Suprema Corte.
198. "¡Viva México!". ▸

199

–Yo lo garantizo.
–¿Usted? (*Sonrisas.*)
–(*De pie.*) Hemos terminado.

En verdad habían terminado. El día 9 Cárdenas apunta:

Soy optimista sobre la actitud que asumirá la Nación en caso de que el Gobierno se vea obligado a obrar radicalmente. Considero que cualquier sacrificio que haya que hacer en el presente conflicto lo hará con agrado el pueblo.

México tiene hoy la gran oportunidad de liberarse de la presión política y económica que han ejercido en el país las empresas petroleras que explotan, para su provecho, una de nuestras mayores riquezas, como es el petróleo, y cuyas empresas han estorbado la realización del programa social señalado en la Constitución Política; como también han causado daños las empresas que mantienen en su poder grandes latifundios a lo largo de nuestra frontera y en el corazón del territorio nacional, y que han ocasionado indebidos reclamos de los gobiernos de sus países de origen.

Varias administraciones del régimen de la Revolución han intentado intervenir en las concesiones del subsuelo, concedidas a empresas extranjeras, y las circunstancias no han sido propicias, por la presión internacional y por problemas internos. Pero hoy que las condiciones son diferentes, que el país no registra luchas armadas y que está en puerta una nueva guerra mundial, y que Inglaterra y Estados Unidos hablan frecuentemente en favor de las democracias y de respeto a la soberanía de los

199. Audiencia de la Cuarta Sala de la Suprema Corte.

países, es oportuno ver si los gobiernos que así se manifiestan cumplen al hacer México uso de sus derechos de soberanía.

El Gobierno que presido, contando con el respaldo del pueblo, cumplirá con la responsabilidad de esta hora.

El día siguiente ocurre un acto casi poético. Diez años antes los dos michoacanos –Múgica y Cárdenas– navegaban por el Pánuco soñando con un momento así:

Conocedor el general Múgica de la conducta de las empresas petroleras, por juicios que se han seguido contra las citadas empresas y en los que él ha intervenido, y por los procedimientos y atropellos cometidos por los empleados de las propias empresas, y que presenció cuando me acompañó en los años que estuve al frente de la Zona Militar de la Huasteca Veracruzana; y reconociendo en él sus convicciones sociales, su sensibilidad y patriotismo, le di el encargo de formular un proyecto de manifiesto a la Nación, explicando el acto que realiza el Gobierno y pidiendo el apoyo del pueblo en general, por tratarse de una resolución que dignifica a México en su soberanía y contribuye a su desarrollo económico.

Hasta hoy no se ha llegado a hacer mención, oficialmente, del propósito de expropiación. Se dará a conocer en el momento oportuno.

En los centros políticos y financieros, la generalidad cree, y aun las mismas empresas, que el Gobierno podrá llegar, sola-

200. Los Senadores se adhieren al fallo de la Suprema Corte.

200

201

mente, a dictar la ocupación de las instalaciones industriales.

No puede retardarse mucho la decisión de este serio problema.

Todo se precipita. El día 15 la Junta Federal apremia a las compañías el cumplimiento. El 16 las declara en rebeldía. (Armstrong comenta: "No se atreverán a expropiarnos.") Todavía el 18 de marzo hay una junta con el Presidente en que las compañías aceptan el pago de 26 millones, pero objetan otras prestaciones. Demasiado tarde. Al día siguiente a las 11 de la noche, en Los Pinos, Cárdenas apunta los acontecimientos memorables:

> A las 22 horas de ayer, 18 de marzo, dirigí en Palacio Nacional un mensaje a la Nación, participándole el paso trascendental que da el Gobierno de México, reivindicando la riqueza petrolera que explotaban empresas extranjeras.
>
> He hablado al pueblo pidiendo su respaldo, no sólo por la reivindicación de la riqueza petrolera, sino por la dignidad de México que pretenden burlar extranjeros que han obtenido grandes beneficios de nuestros recursos naturales, y que abusan considerándose ajenos a los problemas del país.
>
> Con voluntad y un poco de sacrificio del pueblo para resistir los ataques de los intereses afectados, México logrará salir airoso; y para ello confío en la comprensión y patriotismo de todos los mexicanos.
>
> Hoy podrá la Nación fincar buena parte de su crédito en la industria del petróleo y desarrollar con amplitud su economía.

20.

El 20 de marzo era domingo. Una comitiva de amigos cercanos acompañó al Presidente a una excursión al Nevado de Toluca. Nadó solo en el agua helada de una de las lagunas. Nadar en el volcán... Raúl Castellano pensó que el acto era una metáfora puntual de los acontecimientos que el Presidente había vivido.

Doscientas mil personas aclamaron al Presidente en el Zócalo. Serían legendarias las colas de gente de todas las clases sociales que en Bellas Artes contribuyeron al pago de la deuda con lo poco o mucho que tenían: joyas o guajolotes. Veinte mil estudiantes de la recelosa UNAM lo vitorearon. El rector, Luis Chico Goerne, exclamó: "Presidente de mi patria: he aquí el alma y la carne joven de México. Están contigo porque tú estás con el honor."

El Presidente tomó la bandera de la Universidad y la ondeó con emoción varios minutos.

204

203

201. Campanas por la expropiación.
202-203. Lo apoya la muchedumbre.
204. El momento del decreto.

205

206

Las compañías petroleras concertarían un amplio y efectivo boicot comercial contra México, que se vio obligado a vender su petróleo a los países del Eje o a idear difíciles operaciones de trueque. No faltaron desde luego los embargos, ni la escasez de refacciones incluso en industrias que nada tenían que ver con el petróleo, ni las campañas de desprestigio, ni los escritores a sueldo que llevaban por el mundo la visión de un "México que robaba lo que se pusiese al alcance de la mano". Por su parte, el gobierno inglés puso al mexicano una nota denigrante que provocó la suspensión de relaciones. Con el gobierno de Estados Unidos no dejó de haber tensión, pero para Washington los riesgos de un enfrentamiento eran mayores que los posibles beneficios. La entrada de los Estados Unidos en la guerra finiquitó, de hecho, el conflicto. La actitud de ambos presidentes –Roosevelt y Cárdenas–, tanto como el cuadro internacional, había contribuido al arreglo:

> Es típico de Cárdenas –notó Frank Tannenbaum– el que, a través de todas aquellas conmociones, haya sabido conservar la cabeza. No profirió ninguna maldición contra el pueblo americano; no denunció todos los días al gobierno americano; no insultó al Secretario de Estado; no ridiculizó al Presidente de los Estados Unidos. Muy al contrario, siguió siendo amigo de Josephus Daniels y una vez hizo notar: "Tuve mucha suerte en ser presidente de México cuando Roosevelt era presidente de los Estados Unidos."

El articulo 27 de la Constitución se cumplía por fin en letra y espíritu. México fue más México a partir de ese momento.

207

205. "Están contigo porque tú estás con el honor".
206. Josephus Daniels, amigo de México.
207. Ataúdes de las compañías petroleras.

Puerto de libertad

EN UNO DE los pasajes de su libro célebre *Homage to Catalonia,* George Orwell se refiere a los buenos cartuchos mexicanos que solía dejar en reserva para cuando llegase el momento de la lucha. Leyéndolo, es imposible no conmoverse ante la actitud solidaria del gobierno mexicano con la República Española.

El 15 de septiembre de 1936 Cárdenas da el grito en el Zócalo y agrega: "Viva la República Española." No eran simples palabras: el deseo cristalizaría en ayuda. El 7 de junio de 1937 llega a México un grupo de niños huérfanos de la guerra. Cárdenas apunta:

> La traída a México de los niños españoles huérfanos, no fue iniciativa del suscrito.

208. Siempre con la república.

208

209

A orgullo lo tendría si hubiere partido del Ejecutivo esta noble idea.

Fue de un grupo de damas mexicanas que entienden cómo debe hacerse patria y que consideraron que el esfuerzo que debería hacer México para aliviar la situación de millares de huérfanos no debía detenerse ante las dificultades que se presentasen. El Gobierno Federal interpretando la trascendencia humanitaria de esta idea, la apoyó y alojó a 500 niños que han venido a convivir con niños mexicanos, también huérfanos, en las escuelas internados que se instalaron en Morelia.

México no pide nada por este acto; únicamente establece un precedente de lo que debe hacerse con los pueblos hermanos cuando atraviesen por situaciones difíciles como acontece hoy a España.

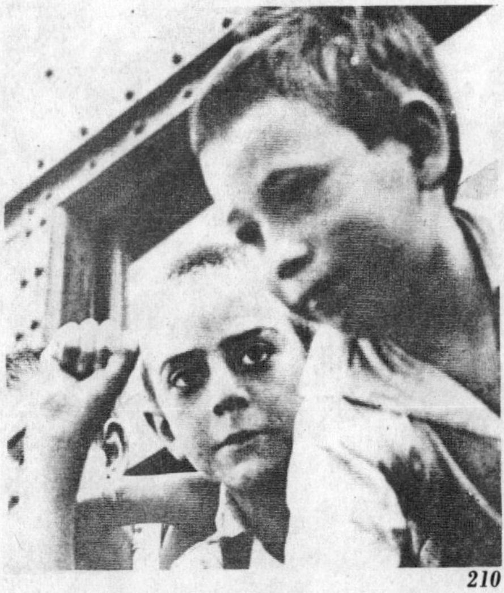

210

Dos años más tarde desembarcan 30 000 republicanos. Algunos círculos profascistas hablaban de la temible inmigración "comunista". Lo cierto es que esa corriente significó una inmensa capitalización cultural y económica. Gracias al apoyo de Cárdenas a una propuesta de Daniel Cosío Villegas, México abrió sus puertas a la crema y nata de la élite intelectual y científica de España que trajo, desde su llegada, beneficios extraordinarios al país. En 1939 –para mencionar una sola institución de las que se formaron con el concurso español– se crea la Casa de España en México, que al poco tiempo se convertiría en El Colegio de México. Todo el que recuerda las desesperadas muchedumbres republicanas en los muelles españoles con la vista fija en el mar, temiendo el ataque de los franquistas en cualquier momento, debe sentirse orgulloso de que México se convirtiera en su puerto de salvación. Hecho tan significativo como el asilo a Trotsky, el profeta desterrado a quien ningún país quería acoger. México fue –o más bien, ha seguido siendo– sinónimo de refugio para los perseguidos de otras tierras.

Cárdenas lo expresó mejor que nadie: "No hay antipatía o prejuicio en nuestro país contra ningún país o raza del mundo."

> En México tratamos a todos de la misma manera, sin distinción de raza o color. Las distinciones o persecuciones a cualquier sector de la población son contrarias al espíritu y a las leyes de mi gobierno. Entre nosotros, todo norteamericano es bienvenido, blanco o negro, judío o católico, todo lo que les pedimos es que cumplan con nuestras leyes de inmigración.

Cada paso de la política exterior cardenista fue congruente con esta actitud moral: su condena de la invasión fascista italiana a Etiopía; la censura al Japón en el conflicto sino-japonés; la orden a la Delegación Permanente de México en la Sociedad de Naciones para asumir en Ginebra la defensa de los judíos perseguidos por los nazis; la protesta, en fin, contra la invasión alemana de Checoslovaquia, Bélgica, Holanda, y la soviética de Finlandia.

El sentido de libertad que Cárdenas proyectaba a su política exterior tuvo traducciones concretas y palpables en la vida política interior. José Alvarado –el fino periodista– escribió: "Durante los seis años que estuvo en el Palacio Nacional, su obra fue discutida libremente en toda la República y su régimen fue objeto de ataques rudos y violentos." Nunca hubo represalias.

211

212

209. Con los niños de Morelia.
210. Niño español.
211. México abrió los brazos a Trotzky.
212. Reunión de nazis mexicanos.

Quiso que su sexenio fuese muy distinto al de los sonorenses, manchados de sangre. Lo consiguió. La muerte de Saturnino Cedillo –el último rebelde militar en la historia del México contemporáneo– no es achacable al Presidente. Había ido personalmente a San Luis Potosí para procurar disuadirlo. Su lugarteniente Pedro Figueroa recuerda sus instrucciones:

–El general no quiere que matemos a nadie. Desea que no haya derramamientos de sangre.

Este movimiento rebelde podía haberse terminado en una hora; pero se ha prolongado algunos días debido a que el general Cárdenas ha dado órdenes expresas de dejar en libertad a los prisioneros y no sólo eso: darles dinero para que regresen a sus casas y a su trabajo.

Nada lo encolerizó tanto en su sexenio –escribió su hagiógrafo Townsend– como la muerte violenta de Cedillo en enero de 1939.

Al generoso derecho de asilo, que confirmaba al país como un coto de libertad, y a la irrestricta independencia de la crítica se aunó el respeto a la libertad de creencia. Los empañó, es verdad, el dogma de la educación socialista impuesto a los niños en contra del auténtico laicismo. Con todo, Cárdenas tenía razón. Luego de

213

214

215

los desfanatizadores veintes, "no había problema religioso en México":

> Naturalmente en todos los países existen varias tendencias en pro y en contra de las creencias y prácticas religiosas, pero por lo que concierne a las leyes y al gobierno mexicanos, existe completa libertad religiosa en nuestro país. En todas partes de México (excepto en Tabasco donde por muchos años no ha habido iglesias), se encontrarán las iglesias abiertas y al pueblo practicando el culto sin molestias. La Iglesia Católica dio su apoyo al Gobierno Mexicano con motivo de la reciente expropiación de la industria petrolera. La Iglesia dio este paso, porque comprendió que el pueblo de México en su totalidad prestó su entusiástico apoyo a esta medida, necesaria para el bienestar de nuestro país en general.

Una de las mayores paradojas de aquel sexenio fue la convivencia de un Estado corporativo con las más amplias libertades cívicas. Ésta sería, desde entonces, una de las paradojas centrales y, en cierta forma, afortunadas de la vida mexicana. En un político paternal como Cárdenas, la convivencia se explica: el padre domina pero tolera y aun alienta la libertad natural de los hijos.

213. Cedillo vivo.
214. Cedillistas.
215. Cedillo muerto.

216

Por un sano nacionalismo tecnocrático

LOS OBSERVADORES cuidadosos notaban un cambio en el Cárdenas posterior a la Expropiación Petrolera con respecto al de los primeros años. "Su reserva inicial –escribe el corresponsal del *New York Times*– se ha convertido en una actitud de holgada confianza. Ha ido desarrollando gradualmente una brillante personalidad que contrasta de modo radical con su anterior retraimiento." Luis González advierte otra faceta de cambio: Cárdenas se volvió un poco tecnócrata. Era como si la afirmación personal y nacional de la Expropiación hubiese cegado en él todas las fuentes íntimas de carencia, desigualdad o resentimiento. La clave ahora era construir.

Una expresión de esa nueva actitud fue su impulso a la asistencia pública y la salud. Meses antes había creado ya la Escuela Normal de Educación Física, la Secretaría de Asistencia Pública, el Departamento de Asistencia Infantil, el Hospital de Huipulco y el servicio médico obligatorio. En 1939 funda la Liga Mexicana

216. Se volvió un poco tecnócrata.
217. Una recepción en Palacio.

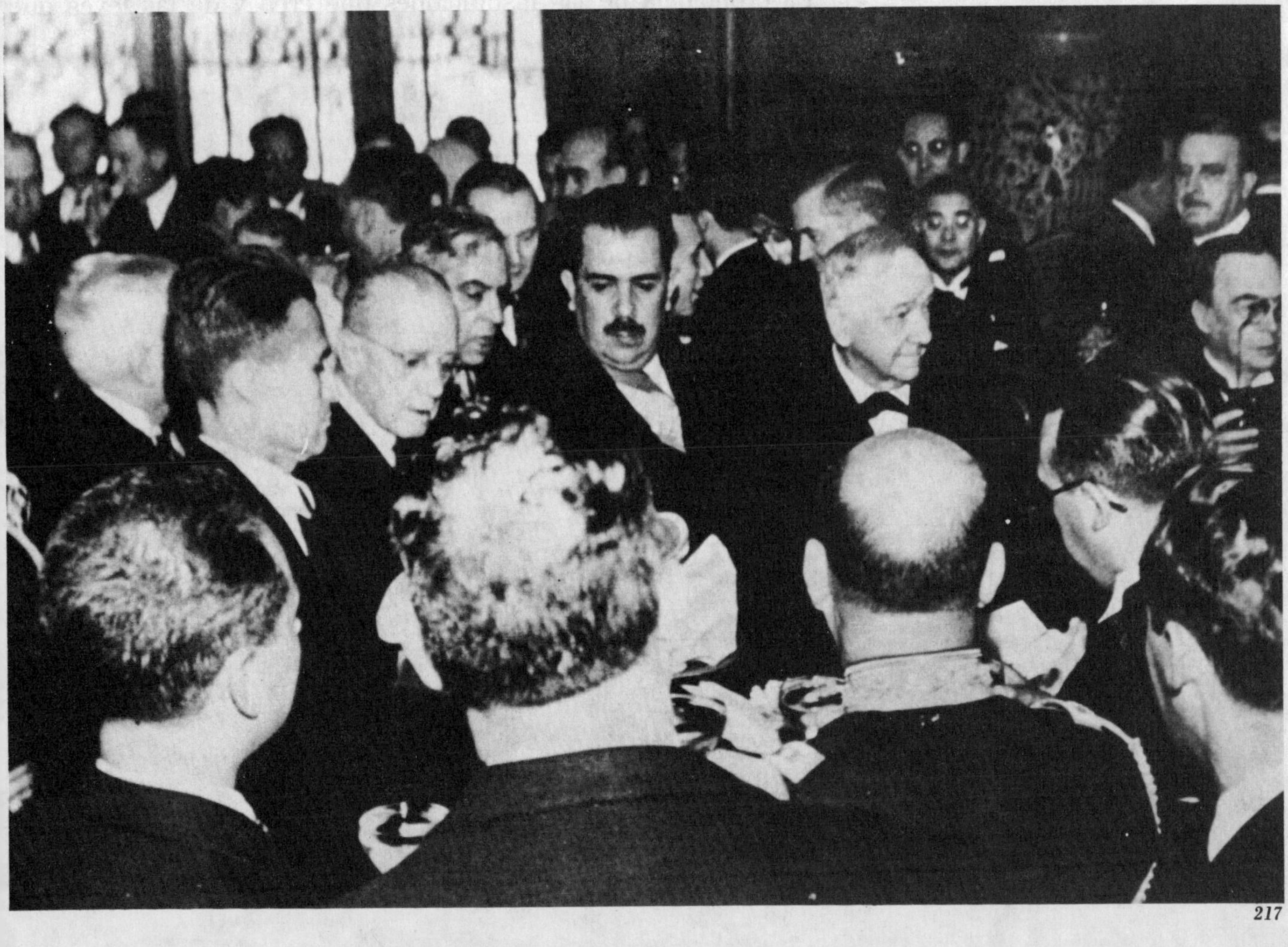

217

contra el Cáncer. Como se ha vuelto un espléndido nadador, contrae una marcada fe en el deporte, que le vale las más desternillantes críticas de los escritores mojigatos.

Tal ha sido el fanatismo sectario del Gral. Cárdenas, que no ha desaprovechado ocasión para combatir el catolicismo. Ha difundido los deportes, no tanto por lo que favorecen el desarrollo físico, cuanto por alejar a los que los practican del cumplimiento de los deberes religiosos del domingo y para que las mujeres pierdan el pudor.

Con la salud, la técnica. En tiempos de Cárdenas se funda el Instituto Politécnico Nacional. Sus aulas debían albergar a un nuevo tipo de universitario, como aquellos que había previsto en los cafés de la Universidad Nicolaíta: técnicos identificados con la realidad económica y social mexicana. En octubre de 1939 esta identificación comienza a adquirir formas concretas. Cárdenas echa a andar el proyecto de industrialización nacional. En unos cuantos días abate los gravámenes a la exportación de utilidades, los impuestos a las importaciones, la renta y el timbre. Se fomentaría con decisión a las industrias nuevas.

La cronología de las instituciones que creó y de las leyes que

218

219

promulgó indica también un tránsito de lo campirano a lo urbano, de la impartición de justicia a la creación de riqueza. De 1935 son del Departamento de Caza y Pesca, el Forestal, el de Asuntos Indígenas. De 1936, los Almacenes Nacionales de Depósito. En 1937 nacen el Banco Nacional de Comercio Exterior, el Banco Nacional Obrero de Fomento Industrial y la Nueva Ley de Seguros. En 1938 se crean los talleres Gráficos de la Nación y la Comisión Federal de Electricidad. Se expide el Estatuto de los Trabajadores del Estado y la muy importante –y poco respetada– Ley de Responsabilidades de Funcionarios Públicos. En 1939, año en que se pone en marcha el fomento de la industria, se crea también la Comisión Nacional de la Habitación. Un rasgo más del mismo tránsito es el incremento de la inversión en la infraestructura. Cárdenas gasta 12 veces más que su antecesor en carreteras y aumenta en 30 millones de pesos al año la partida dedicada al riego.

Si se piensa en términos de la Constitución, para 1940 el cuadro de actitudes presidenciales era aproximadamente el siguiente: respeto absoluto de los artículos sobre libertades; vista gorda con el 130; menos socialismo y más técnica con el 3; plena vigencia del 123, siempre bajo la vigilante tutela del Estado, que enton-

218. Tiempo de masas.
219. Llega a la Cámara.

220

221

220. Efraín Buenrostro, secretario de la Economía Nacional.
221. Presenciando una manifestación.

ces prescribía una era de industrialización para el país y de unidad entre los factores de la producción. Finalmente, cumplimiento estricto del artículo 27, primero –de 1936 a 1937– en sus postulados agrarios, pero cada vez con mayor hincapié en su aspecto nacionalista.

Una carta de Cárdenas a Efraín Buenrostro, secretario de la Economía Nacional hacia marzo de 1940, expresa esta faceta de reivindicador nacionalista. Su *credo* desde los tiempos michoacanos había tenido dos pilares: el reparto ejidal de la tierra y la organización de las clases trabajadoras en un frente único bajo el manto corporativo del Estado. Ahora tenía un pilar más:

> Para el desarrollo de la costa de Michoacán, sigo pensando en la explotación de los yacimientos de fierro de "Las Truchas", que desde luego podía iniciar el Gobierno en una forma modesta con objeto de ir llamando la atención sobre la importancia de esa zona, que hoy se encuentra sin ninguna comunicación carretera y de población por falta de actividad.
>
> Al efecto, considero que bastará, por lo pronto, con un modesto taller de fundición que cuente con un pequeño horno para lingotes que los habitantes de la región de "La Mira" están dispuestos a manejar con tal de contribuir al desenvolvimiento de aquella importante región.
>
> Para conocer, personalmente, la zona de "Las Truchas", me propongo, a principios de mayo, hacer una visita saliendo de Acapulco y desembarcando en Playa Prieta, que está inmediata a los yacimientos mencionados y en cuyo punto, "Playa Prieta", ya el Departamento de Marina ha procedido a hacer un pequeño muelle, teniendo en estudio un proyecto de puerto en la desembocadura del río "El Carrizal", que está frente a "La Mira", proyecto que podría desarrollarse más tarde.
>
> Por lo pronto te recomiendo veas la manera de estudiar la instalación que puede hacerse en el citado punto de "Las Truchas", entendidos de que bastaría para ello algunas herramientas y una modesta maquinaria para el corte de fierro, así como un pequeño horno. ¿Mercado? Como dije antes, el grupo de vecinos de "La Mira" y cercanías, están dispuestos a vender todo lo que extraigan, a precio mínimo, ya sea que convenga elaborar los lingotes como llevar hasta la playa el metal en bruto para así explotarlo.

Paradojas y sucesión

NEGAR QUE CÁRDENAS terminó su periodo presidencial en medio de una notoria, que no generalizada, impopularidad, sería querer tapar el sol con un dedo. Más temprano de lo que hubiera querido, en 1939 se desató la carrera de la sucesión y con ella un alud de críticas.

Muchas de ellas eran risibles. Había que frotarse los ojos, por ejemplo, después de leer las opiniones de Carlos Pereyra: "El Estado Mayor bolchevique, compuesto de mexicanos enviados a Rusia (...) y de rusos importados como consultores, introdujo (...) la colectivización de la tierra. Rusia en todo." La iracundia de los círculos clericales los llevaba a creer que Cárdenas había sido tan perseguidor como Calles. Hasta hombres sensatos como Manuel Gómez Morín criticaban "la conducta absurda" de México en Ginebra... y la que siguió en el problema de los refugiados "permitiendo que los funcionarios mexicanos se convirtieran en agentes (...) de facciones que nos son extrañas". Las clases altas lo llamaban *El Trompudo* y recitaban estos versos:

Un presidente obcecado
de proletaria manía
es peor que un chivo enjaulado
en una cristalería.

222. Orizaba pide reanudación de cultos.
223. Lombardo visita la URSS: "El mundo del porvenir".

222

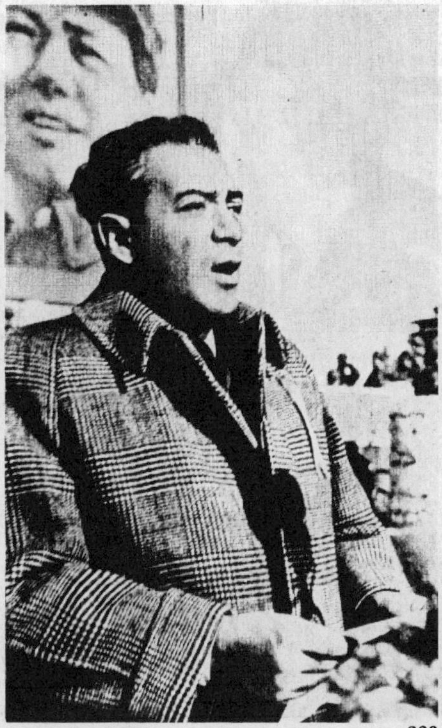
223

★ Esperanto
MEJIKO KAJ KARDENAS
Kritiko Socio-Politika de la Pasinta kaj Nuntempa Meksika Vivo
(Kritika Sosio-Politika de la Bida Mejikana Pasada i Aktual)
Verkita de (Eskrita por)
JESUS AMAYA
1937
EDITORIAL LUMEN
MEJIKO, MEKSIKO
BIBLIOTECA NACIONAL
MEXICO.

224

Paloma viajera,
as de peregrinos,
que vas recorriendo
todos los caminos,

comes en cuclillas,
duermes en el suelo,
aunque los rancheros
te tomen el pelo.

Ya no nos des patria,
ya no nos redimas,
ya no nos prometas
cosechas opimas.

Y si has de hacer algo
en nuestro favor,
córtale las uñas
a tu ilustre hermano.

De Lombardo y Dámaso
líbranos, Señor.

Menos visceral fue la censura de los "revolucionarios de entonces". Antonio Díaz Soto y Gama, viejo apóstol zapatista, resumía en cuatro puntos programáticos su crítica a la política colectivista de Cárdenas en el campo.

225

226

227

1. Lograr cuanto antes seguridad en la posesión y disfrute de su parcela y garantías para los trabajos de mejoramiento agrícola que se llevan a cabo en la misma.

2. Quedar a salvo de las contingencias gremiales y políticas de los dirigentes entronizados en los ejidos, y sobre todo, de los Comités Regionales y Ligas de Comunidades Agrarias Estatales, que día a día han subvertido sin sentido benéfico para los ejidatarios la marcha económica y social de las comunidades ejidales.

3. Librarse del pago del 5% para contribuciones y de otras gabelas que se hacen pesar sobre esas comunidades solidariamente, ya que todo campesino quiere pagar su contribución predial sobre una base justa y en efectivo, sobre el valor catastral que se asigne a cada parcela, y no en especie en cada cosecha que levanten, a base de aquel "semidiezmo".

4. Por antecedentes históricos por la triste experiencia que han tenido en los cultivos colectivos que se les han impuesto oficialmente, nuestros ejidatarios son individualistas y fincan su liberación en la dotación que han recibido de tierras disfrutadas libremente y heredándolas en igual forma y seguridad a sus hijos o sucesores.

Junto con Soto y Gama, los generales Iturbe, Treviño y Marcelo Caraveo integrarían el opositor Comité Revolucionario de Reconstrucción Nacional.

Con la fundación, en 1939, del Partido de Acción Nacional, Manuel Gómez Morín echó su cuarto a espadas. Sus discursos críticos fueron, por lo general, inteligentes y matizados. Admitía la "rectitud de intención en casos como la colectivización agraria y el

224. Crítica a México en sánscrito.
225. José C. Valadés lo entrevista.
226. Colectivizados.
227. General Ramón F. Iturbe.

228

sindicalismo burocrático", confrontaba las intenciones con los resultados y hallaba a éstos "lamentables o, en el mejor de los casos, nulos". A su juicio, la acción agraria estaba inspirada en "un falso y artificioso concepto de lucha" contrario a "las condiciones humanas de vida, la libre organización y los medios técnicos que se habían introducido en la agricultura moderna en todo el mundo, menos en México". Contra la opinión de Cárdenas, que defendía la colectivización agraria porque a ella tendían las condiciones climáticas de cada región y porque había que evitar el "individualismo anárquico", Gómez Morín pensaba:

> ¿Por ventura en los demás países donde existen unidades de irrigación, de clima o de cultivo –y existen en todo el mundo–, ha sido necesario imponer las formas de colectivización? ¿Se ha comprobado en alguna parte que la libertad responsable de trabajo y de asociación produzcan un individualismo anárquico, pugna entre los trabajadores, desperdicio de energías y abatimiento en la producción? No.
>
> Eso existe precisamente donde las formas naturales y debidas de la propiedad, del trabajo libre y responsable, de la asociación autónoma y de fin técnico, se reemplazan por la coacción, el favoritismo, la burocracia y el propósito político, como sucede precisamente cuando se quiere introducir la colectivización.

228. Alejandro Carrillo en un Congreso de la CTM.

De la sindicalización burocrática no tenía mejor opinión: a las organizaciones obreras se las había "envenenado de política y de fines, tácticas y objetivos que no (eran) suyos". Del PRM escribió: "es una patraña de partido que no tiene un solo miembro voluntario". El mayor pecado del régimen, concluía Gómez Morín, era su "confusión mental y moral". Años después resumiría sus ideas: "En Cárdenas, en su gobierno, había una mezcla de mesianismo, de sentido de justicia para los desvalidos y creo que de sincero deseo de progreso de México, con una ideología socialistoide, un gran apetito de poder y una fuerte dosis de desprecio a la comunidad."

229

La tenue franja de los intelectuales democráticos y liberales apenas salió a la palestra porque de tan tenue era casi inexistente. En el clima de tensión ideológica que prevaleció durante toda la década de los treinta era muy raro el que navegaba con éxito entre Escila y Caribdis, entre fascismo y comunismo. Uno de esos extraños equilibristas fue Cosío Villegas. Se cuidó de publicar sus equilibradas opiniones, pero no de formularlas.

> El equipo de gobierno de Cárdenas es el peor que ha tenido cualquier presidente revolucionario: un grupo de abogaditos de provincia, sin ideas. Cárdenas no tuvo un consejero inteligente, exceptuando Suárez, el Secretario de Hacienda; todos los demás eran gentes atropelladas, muchas veces deshonestas, simplemente demagogos, etc. Ésta es una cosa incuestionable (...) Cárdenas fue un hombre realmente notable pero incapaz de tener nociones generales sobre las cosas. De allí ese afán de ver las cosas con sus propios ojos, esa perpetua movilidad en que se encontraba (...) Es incuestionable que Cárdenas era un hombre singular en el sentido de que era una persona poco cultivada, no inteligente, incapaz de treparse a lo que es una concepción de un problema. Daba un tratamiento casuístico a los problemas: caso por caso aislado, y a una serie de problemas inconexos, que no están empotrados en un plan, en una idea general. Eso era muy de Cárdenas. Cárdenas era un hombre que quería que se hicieran las cosas, que tenía una repugnancia particular a ver los antecedentes: Yo tenía una gran admiración por el sentido populista de Cárdenas... Es incuestionable que el gobierno de Cárdenas fue desgobernado, pero de grandes impulsos generosos, todos ellos con finalidades de carácter incuestionablemente popular, de favorecer a la gente pobre (...)

Otro observador mesurado e inteligente fue Manuel Moreno Sánchez. Ya dijimos que había vivido en Michoacán durante el conflicto entre Serrato y Cárdenas. Llevaba años de rumiar sus impresiones. Su conclusión muestra el desconcierto que le causa-

229. Gómez Morín fundó el PAN.

ron las paradojas de Cárdenas. Tres paradojas, cuando menos:

En Cárdenas hay a la vez la semblanza de un presidente tolerante y equitativo y la sombra de un cacique que lo quiere resolver todo sin pensar en la estructura constitucional, sin división de poderes, sin legislativo ni judicial...

Estuvo siempre con los pobres y él mismo no ha sido pobre ni sus parientes y amigos...

Ciertamente es un destructor, porque todo revolucionario ha nacido para derribar; pero si no pudo hacer obras para el desarrollo material, nadie puede negarle su obra principal: haber acentuado el cambio moral del pueblo humilde. Con Cárdenas muchos parias han sabido que eran hombres.

Pocos críticos exploraron la mayor paradoja de todas: el modo en que la terca realidad distorsionó los empeños celestiales del General Misionero o, peor aún, el modo en que sus empeños celestiales infligieron dolor en la terca realidad. Paradoja para teólogos, no para intelectuales.

230

231

Al acercarse las elecciones de julio de 1940 apareció en un diario de la capital un corrido del pueblo al presidente Cárdenas.

Tú que eres un hombre bueno,
líder de las democracias,
evítale a tu país
nuevas y grandes desgracias.

Nadie se habrá de acordar
del petróleo y algodón
si deshaces el pastel
que ya hornea la imposición.

230. Buen diente.
231. Buen gusto.

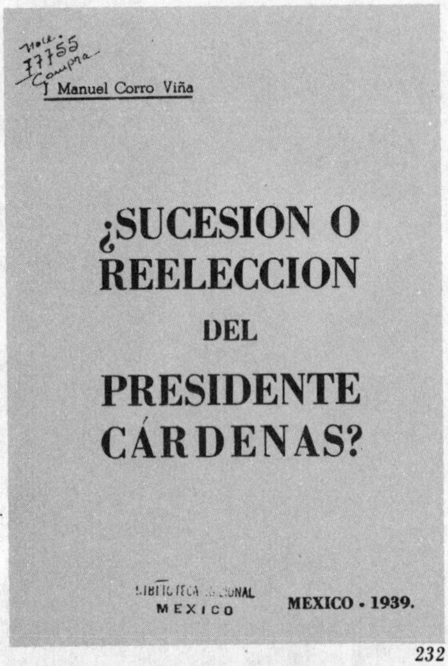

232

233

234

El pueblo te ha ovacionado
y por doquier te ha seguido:
correspóndele a ese pueblo
quitando tanto bandido.

La gloria de ser un hombre
puro y sincero en la historia,
las tienes hoy en las manos;
haz bendita tu memoria.

Arroja el lastre que sobra;
mete en cintura a Graciano,
despierta al dormido Jara
y enmudece a Toledano.

Y si tal conducta sigues
y a tu nación obedeces,
la Historia, que no es ingrata,
te lo pagará con creces.

Oye la voz de tu pueblo,
y escucha bien lo que dice,
y si tal haces verás
cómo el pueblo te bendice...!

Cárdenas ofreció elecciones limpias y pacíficas. La carrera s había iniciado con un tumulto de presidenciables: Adalbert Tejeda, Amaro, Sánchez Tapia, Magaña, Castillo Nájera, Múgica Ávila Camacho, Almazán. La elección lógica de Cárdenas er Múgica. "Nadie sabe lo que pesa el saco sino el que lo lleva" comentaba Cárdenas años después. ¿Qué tanto pesaba Múgica En opinión de Raúl Castellano, Cárdenas descarta a Múgica pc considerarlo "excesivamente radical (...) sé que no se detiene desgraciadamente va a fracasar y echar a perder lo poco que s ha logrado". Silvano Barba González escuchó del Presidente un frase similar: "Múgica pierde el control de sí mismo con frecuer cia. Usted puede imaginar lo que haría siendo Presidente." D nuevo, como en 1932, Cárdenas opta por un militar moderad aunque esta vez incondicional. Frente a la "reacción fascista" qu según Lombardo provocaría Múgica, se decide por su antiguo fiel lugarteniente: Manuel Ávila Camacho. Al renunciar a su pr candidatura, Múgica critica a los políticos parásitos que bloque la expresión genuina del pueblo. Por su parte, Ávila Camach se apresura a proyectar una imagen apacible, y lanza un mensa de unidad nacional en días de guerra mundial: "El Partido de Revolución Mexicana promete a la nación entera que a la concl sión de la lucha electoral no habrá ganadores ni perdedores, sino mexicanos, todos de la misma familia." El periodista José C. Valadés recoge de Ávila Camacho tres palabras que se recordarán todo el sexenio: "Yo soy creyente."

En el lado opuesto sólo queda un gallo, pero de espolones: Almazán. En sus discursos agota todo el arsenal verbal de la "Revolución de entonces". Condena a los líderes, la colectivización, la educación socialista, el ejido, "nueva encomienda". Pugna por las pequeñas granjas individuales y la autonomía municipal. En todo momento invoca a su remoto líder, el general Zapata. Es partidario de los aliados y las libertades. Tiene el apoyo de varios veteranos –"cartuchos quemados"– y otros grupos menos inocuos: obreros petroleros en Tampico y Veracruz, ferrocarrileros despechados. En cambio, los fuertes núcleos del sinarquismo campesino –unión católica nacida en 1937 que rechazaba por entero la Revolución Mexicana– no intervienen en su favor. Entre los "cartuchos quemados" está Diego Rivera. A su juicio, el 80 por ciento del electorado votará por Almazán y no por los dirigentes del PRM, que representan "el fascismo bajo una máscara socialista".

"Oiga, mire eso –exclama un personaje de Azuela frente a la manifestación almazanista en la capital–, ni siquiera cuando triunfó Madero hubo cosa igual, hay 250,000 gentes." La popularidad de Almazán era evidente, pero la flamante maquinaria del PRM no iba a perder sus primeras elecciones. La CTM y el Ejército colaboraron con diligencia en la manipulación de las urnas. "Del campo –escribe Luis González–, en donde por otra parte no tenía arraigo Almazán, vino un millón de votos hechos por unas 10,000 personas (en favor del candidato oficial)." Cárdenas había prometido elecciones limpias y pacíficas. Fueron sucias y sangrientas. El Colegio Electoral tuvo la "desfachatez" de publicar estas cifras: 15 101 votos por Almazán, 2 476 641 por Ávila Camacho.

El 1o. de diciembre de 1940 Cárdenas apunta: "Me esforcé por servir a mi país y con mayor empeño al pueblo necesitado. Cancelé muchos privilegios y distribuí en buena parte la riqueza que estaba en pocas manos."

Palabra por palabra, decía la verdad.

235

236

237

232. Incógnita.
233-237. Actores de la sucesión: Heriberto Jara, Lombardo Toledano, Francisco J. Múgica, Ávila Camacho y Juan Andrew Almazán.

238

Franciscano en la querencia

Y CÁRDENAS agarró pa' la querencia. Emprende largas y continuas travesías por Michoacán, disfruta su pequeño paraíso en la finca Eréndira, toma baños termales en Los Azufres, cuida los limoneros en su bonito rancho de Galeana, aparta "cincuenta camelinas para plantarlas en las faldas de Janitzio con objeto de que tenga más color la isla". Como custodio del patrimonio nacional, vigila muy de cerca las concesiones de explotación en el mineral de Las Truchas.

Curioso paralelo: al abrir la década de los cuarenta, los dos grandes personajes de la década anterior –Calles y Cárdenas– cultivan, como el Cándido de Voltaire, su jardín: uno en Cuernavaca, otro en Michoacán. Pero mientras Calles se ha desentendido de la "cloaca" política y se entrega al espiritismo, Cárdenas se dispone a servir de "pararrayos". Aunque se ha propuesto no leer los periódicos, las críticas a su régimen invariablemente le llegan. Nunca las rebate en forma directa, ni siquiera en privado para su *Diario*. No es su estilo. Sólo se justifica ante sí mismo usando las formas gramaticales más impersonales y modestas: "Se excitó a las masas a organizarse cívicamente (...) y no se impidió la formación de partidos antagónicos, ni la crítica pública. Hubo grupos

238. Ex presidente a los 45 años.
239. Lo sigue queriendo la gente.

239

que usaron de la diatriba en contra del gobierno y se les dejó expresar libremente." A partir de ese momento hará suya una frase de Cicerón: "Prefiero el testimonio de mi conciencia, a todo lo que de mí pueda decirse." Bien vista, ésa había sido su divisa desde siempre.

La entrada de México en la Guerra Mundial lo expulsó –gustosamente– del paraíso. En diciembre de 1941 ocupa la Jefatura de Operaciones Militares de la Región del Pacífico, con mando sobre doce zonas militares de tierra y dos zonas navales. Su sede está en Baja California Norte. El *Diario* recoge sus propósitos, que cumplirá al pie de la letra, tanto que llegará a interponerse, pistola en mano, al tránsito de expertos militares norteamericanos por suelo mexicano: "Colaborar en la defensa de una causa común, sí y con toda sinceridad, pero con dignidad, exigiendo que no se quiera considerar a México como pueblo inferior."

240

241

En septiembre de 1942 el presidente Ávila Camacho nombra secretario de Defensa a *su* general Cárdenas. Es el momento cumbre de la Unidad Nacional. El día 15, los seis ex presidentes aparecen junto con Ávila Camacho en el balcón de Palacio: Portes Gil, Ortiz Rubio, Rodríguez, De la Huerta, Calles y Cárdenas. A la muerte de Calles, el 19 de octubre de 1945, Cárdenas anota: "Al regresar del exilio, el general Calles me saludó con nobleza."

Para entonces, muy cerca del fin de la guerra, Cárdenas había renunciado a su puesto. Pronto comienza a dar en la costumbre de llevar un obituario con evaluaciones morales: cada vez que un revolucionario muere, Cárdenas lo califica invariablemente con notas altas. Al mismo tiempo, en un acto natural, vuelve a la querencia y a su primer amor, los árboles: "En Tzintzuntzan aún se ven

242

los viejos y añosos olivos plantados por Vasco de Quiroga en el siglo XVI, que se conservan vigorosos."

A sus 50 años, también Cárdenas se conservaba vigoroso. Quería ser útil a la gente concreta y encontró dónde:

> La Tierra Caliente me atrae, especialmente aquella región de Apatzingán en donde pasé mis primeros años de revolucionario. Lo insalubre de la zona y las condiciones precarias en que viven los campesinos me obliga a convivir con ellos.

Al poco tiempo somete al presidente Alemán su Plan Integral de la Cuenca del Tepalcatepec, en cuyo diseño había ecos de la famosa TVA *(Tennessee Valley Authority)* de la época de Roosevelt. Inmediatamente, Alemán lo designa vocal de la Comisión del Tepalcatepec, puesto que ocuparía por dos sexenios.

Fuera del poder, Cárdenas comenzó a entender los problemas de la concentración del poder. Desde 1946 piensa que deberían fundarse tres partidos, el obrero, el campesino y el socialista, todos actuando "democráticamente sin los inconvenientes que presentan los partidos oficiales". Cuatro años más tarde, cuando se inicia la nueva carrera por la Presidencia, se opone decididamente a una posible reelección: "sólo los falsos amigos del Presidente Alemán quieren que se reelija". Es obvio que no aprueba el giro que en la política agraria ha dado el régimen, pero es ante todo un hombre institucional, un ex Presidente de México. La prueba mayor de su lealtad ocurre en 1951, cuando disuade de recurrir a la violencia a la caravana huelguista de obreros de Santa Rosita, Coahuila. Si acaso aquí y allá, su *Diario* incluye alguna broma: un letrero en la cerca del latifundio de los Pasquel en Ciudad Valles dice: "Ésta es una propiedad privada." Cárdenas agrega: "afectable". Otros casos de desviación le causan menos hilaridad. Siente rabia de ver cómo su antiguo amigo el general Rafael Sánchez Tapia transfiere una concesión en Las Truchas a una compañía norteamericana: "Gobierno e individuo que entrega los recursos naturales a empresas extranjeras traiciona a la patria."

Cárdenas prestó una suerte de apoyo simbólico a la candidatura del general Henríquez Guzmán. Se había negado, dos años atrás, a presidir el nuevo Partido Popular de Lombardo Toledano, pero no tenía por qué permanecer enteramente quieto ante la sucesión. El simbolismo se limitó a la presencia –por lo demás, seguramente, espontánea en ellos– de su mujer y su hijo en los mítines del henriquismo. En el momento en que se destapa a Ruiz Cortines, Orive Alba, secretario de Recursos Hidráulicos, visita a Cárdenas en Michoacán. Es el último de una serie de enviados a los que esquiva. El diálogo se desarrolla aproximadamente en estos términos:

Truman Cambia Gabinete; Cuál Será su Política
LA PRENSA
Diario Ilustrado de la Mañana
C25
HABLO LA ESFINGE!
Cárdenas Rompe su Silencio

243

244

240. Con De Witte, jefe de operaciones militares del Pacífico.
241. Manuel Ávila Camacho abraza a su general.
242. Manuel Ávila Camacho preside el acto de unidad nacional, a su derecha don Plutarco; a su izquierda, Cárdenas.
243. Encabezado de 1944.
244. Con Miguel Alemán.

245

–¿Qué misión trae?

–Ninguna, mi general. Se habla de su apoyo a Henríquez.

–Es mentira. Yo no lo apoyo. Yo estoy aquí...

–Sí, pero Amalia y Cuauhtémoc se presentan en los mítines.

–Son libres.

–Sí, mi general, pero las apariencias cuentan. Si la esposa de un ex Presidente apoya a un candidato, se cree que el ex Presidente también.

–Venía con esa misión, ¿verdad?

–Sí.

–Y ¿por qué no habría de haber simpatía por Henríquez?

–Henríquez suena a Sociedad Anónima, por sus negocios. Jara o Múgica son otra cosa.

Aunque se plegaría, Cárdenas no deseaba seguir –al menos en los símbolos– la corriente del alemanismo. Sin embargo, no lleva su tenue disidencia a ningún extremo. Su familia deja de aparecer junto a Henríquez. Cárdenas acepta la sugerencia de Orive Alba y al poco tiempo se entrevista con Ruiz Cortines, quien le habla –mañosamente– de temas queridos para el general: los indios yaquis, los kikapús, el problema de Yucatán. Ante las elecciones de 1952, refrenda su institucionalidad.

Su *Diario* recoge dos observaciones que retratan los rasgos que el tiempo y la experiencia le han perfilado: la tolerancia y un atisbo de pluralidad. Sobre Efraín González Luna, el candidato de Acción Nacional en 1952, apunta: "No lo he tratado, pero juzgo que como candidato lo inducen propósitos patrios y cumplir con la doctrina del partido conservador que lo postula." Lo más notable –y noble– es su reacción ante el libro crítico que publica Victo-

245. Miguel Henríquez Guzmán.
246. Libro revelador.
247. Una de tantas giras.

riano Anguiano: *Lázaro Cárdenas: su feudo y la política nacional:* "¿Tendrá razón Anguiano en lo que opina sobre mi conducta política de ayer y hoy? En la mayoría considero que no."

Peculiaridad de Cárdenas era no rebatir los datos del crítico. No lo mueve la inseguridad o el miedo, sino una cierta naturalidad ante el fenómeno de la política. Lo que le importaba –entonces y ahora– eran los resortes morales que lo habían movido, la bondad de su impulso. El "testimonio de su conciencia" le decía que más allá de los "desajustes" su obra era válida y buena. Podía aceptar errores incidentales –naturales en toda empresa humana– pero no una crítica global a su desempeño: "En la mayoría considero que no." Luis González señala otro elemento que lo explica: en el hombre de campo –y Cárdenas nunca dejó de serlo– no opera el principio de contradicción. En consecuencia, tampoco el horror ante la contradicción. Una circunstancia puede convertirse en la opuesta sin que el agente de la contradicción se sienta responsable del cambio. El libro de Anguiano lo pintaba como un gran cacique paternalista; lo criticaba desde el punto de vista del liberalismo democrático. Cárdenas lo leyó y quizá admitió algunos puntos concretos, pero no se percató del mensaje de fondo: la contradicción entre las intenciones y los frutos de su obra. Por eso nunca entenderá la actitud de Luis Cabrera:

VICTORIANO ANGUIANO EQUIHUA

LAZARO CARDENAS

SU FEUDO Y LA POLITICA NACIONAL

CON UN JUICIO DE JOSE VASCONCELOS Y
PROLOGO DE MANUEL MORENO SANCHEZ

EDITORIAL ERÉNDIRA
MÉXICO, D. F.
1951

246

247

248

Ha sido un enemigo que sólo él se ha explicado las causas de su enemistad. Si él participó en la ley del 6 de enero, por mi parte apresuré el reparto agrario y esto para una mente sana, desapasionada y revolucionaria, podría merecer simpatías y no odio político.

No había sombra de malicia en su queja: para él, las diferencias entre la Ley del 6 de Enero y la colectivización ejidal eran de detalle, no de fondo: ambas eran hijas del tronco de la Revolución. ¿Dónde estaba la contradicción?

Ante los métodos utilizados por el PRI en la nueva sucesión, volvió a señalar privadamente su descontento: "hay que distinguir –escribe– entre la revolución política-social y la burocrática". "El PRI no debe ser ya factor decisivo en la lucha político-social." Pero tampoco la oposición parecía muy despierta: "No hay constancia en las asociaciones político-sociales, ni disposición para sostener sus propios organismos (...) Con tal conducta, no tienen derecho a quejarse del ejercicio político-electoral que se hace en el país."

Poco tiempo después anota: "falta hacer efectivo el sufragio en ayuntamientos, cámaras locales y federales. Faltan partidos políticos". Era ya la voz de un demócrata: Cárdenas descubriendo a Madero.

En 1954 la cadena García Valseca voceaba el inicio de una campaña contra Cárdenas: "Tepalcatepec, barril sin fondo." Cárdenas, como de costumbre, confía en el "testimonio de su

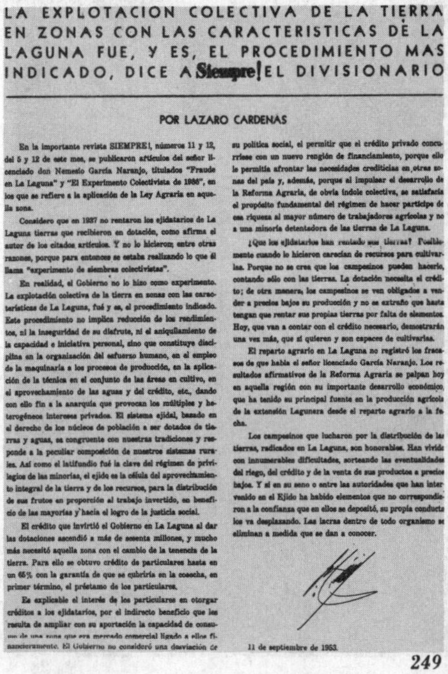

LA EXPLOTACION COLECTIVA DE LA TIERRA EN ZONAS CON LAS CARACTERISTICAS DE LA LAGUNA FUE, Y ES, EL PROCEDIMIENTO MAS INDICADO, DICE A Siempre! EL DIVISIONARIO

POR LAZARO CARDENAS

En la importante revista SIEMPRE!, números 11 y 12, del 5 y 12 de este mes, se publicaron artículos del señor licenciado don Nemesio García Naranjo, titulados "Fraude en La Laguna" y "El Experimento Colectivista de 1936", en los que se refiere a la aplicación de la Ley Agraria en aquella zona.

Considero que en 1937 no rentaron los ejidatarios de La Laguna tierras que recibieron en dotación, como afirma el autor de los citados artículos. Y no lo hicieron; entre otras razones, porque para entonces se estaba realizando lo que él llama "experimento de siembras colectivistas".

En realidad, el Gobierno no lo hizo como experimento. La explotación colectiva de la tierra en zonas con las características de La Laguna, fué y es, el procedimiento indicado. Este procedimiento no implica reducción de los rendimientos, ni la inseguridad de su disfrute, ni el aniquilamiento de la capacidad e iniciativa personal, sino que constituye disciplina en la organización del esfuerzo humano, en el empleo de la maquinaria a los procesos de producción, en la aplicación de la técnica en el conjunto de las áreas en cultivo, en el aprovechamiento de las aguas y del crédito, etc., dando con ello fin a la anarquía que provocan los múltiples y heterogéneos intereses privados. El sistema ejidal, basado en el derecho de los núcleos de población a ser dotados de tierras y aguas, es congruente con nuestras tradiciones y responde a la peculiar composición de nuestros sistemas rurales. Así como el latifundio fué la clave del régimen de privilegios de las minorías, el ejido es la célula del aprovechamiento integral de la tierra y de los recursos, para la distribución de sus frutos en proporción al trabajo invertido, en beneficio de las mayorías y hacia el logro de la justicia social.

El crédito que invirtió el Gobierno en La Laguna al dar las dotaciones ascendió a más de sesenta millones, y mucho más necesitó aquella zona con el cambio de la tenencia de la tierra. Para ello se obtuvo crédito de particulares hasta en un 65% con la garantía de que se cubriría en la cosecha, en primer término, el préstamo de los particulares.

Es explicable el interés de los particulares en otorgar créditos a los ejidatarios, por el indirecto beneficio que les resulta de ampliar con su aportación la capacidad de consumo de una zona que era mercado comercial ligado a ellos financieramente. El Gobierno no consideró una desviación de su política social, el permitir que el crédito privado concurriese con un nuevo renglón de financiamiento, porque ello le permitía afrontar las necesidades crediticias en otras zonas del país y, además, porque al impulsar el desarrollo de la Reforma Agraria, de obvia índole colectiva, se satisfacía el propósito fundamental del régimen de hacer partícipe de esa riqueza al mayor número de trabajadores agrícolas y no a una minoría detentadora de las tierras de La Laguna.

¿Que los ejidatarios han rentado sus tierras? Posiblemente cuando lo hicieron carecían de recursos para cultivarlas. Porque no se crea que los campesinos pueden hacerlo, contando sólo con las tierras. La dotación necesita el crédito; de otra manera, los campesinos se ven obligados a vender a precios bajos su producción y no es extraño que hasta tengan que rentar sus propias tierras por falta de elementos. Hoy, que van a contar con el crédito necesario, demostrarán una vez más, que sí quieren y son capaces de cultivarlas.

El reparto agrario en La Laguna no registró los fracasos de que habla el señor licenciado García Naranjo. Los resultados afirmativos de la Reforma Agraria se palpan hoy en aquella región con su importante desarrollo económico, que ha tenido su principal fuente en la producción agrícola de la extensión Lagunera desde el reparto agrario a la fecha.

Los campesinos que lucharon por la distribución de las tierras, radicados en La Laguna, son honorables. Han vivido con innumerables dificultades, sorteando las eventualidades del riego, del crédito y de la venta de sus productos a precios bajos. Y si en su seno o entre las autoridades que han intervenido en el Ejido ha habido elementos que no correspondieron a la confianza que en ellos se depositó, su propia conducta los va desplazando. Las lacras dentro de todo organismo se eliminan a medida que se dan a conocer.

11 de septiembre de 1953.

249

conciencia'', el mismo que el de la gente humilde. Francisco Villanueva, modesto cura de Arteaga, población enclavada en la zona de la Cuenca, escribe en su defensa un testimonio conmovedor:

> Sin que Don Lázaro tenga necesidad de trabajar, sudando a chorros, materialmente, bajo el sol abrasador y agobiante del plan de la Tierra Caliente o en la abrumadora temperatura de las orillas del Balsas o en el aplastante calor del Bajío, yo lo he visto, yo lo he acompañado, casi a regañadientes, por la tortura del clima y por las graves molestias de tanto bicho, atender, con franciscana paciencia, al pobre y al enfermo, preguntar cómo está la vaca, cuántos puerquitos tuvo la cerda, cómo crece la milpa, si las palmeras ya están sentadas en banco, si la mujer y los chilpayates no se han enfermado, si el ajonjolí pinta bueno y, después de una agobiante jornada de siete y ocho horas, todavía despachar hasta las doce o una de la mañana, solamente por no defraudar a los pobres que vienen de lejos para depositar en él sus ansias y sus esperanzas. Hacer esto una vez o dos, o tres o una docena de veces, bien podría ser una actitud para llenar el expediente del qué dirán. Pero hacerlo siempre, constantemente, es simple y sencillamente un apostolado y, ciertamente, un apostolado de muy subido quilataje.

248. Se volvió crítico del PRI.
249. Se defiende.
250. Bajo el sol abrasador.

250

251

252

Por mi conducto Don Lázaro ha mandado enfermos a Hospitales de primera clase, muchos de ellos necesitando atención médica y medicinas de miles de pesos y, gracias a Dios y a la generosidad de Don Lázaro, estos enfermos han encontrado alivio y han podido seguir trabajando para no ser carga a sus familiares. Muchos parroquianos míos enfermos de los ojos y con enfermedades graves, se han sentido felices al asegurar este don del cielo de seguir viendo, gracias a la mano munífica de Don Lázaro. Y Don Lázaro se ha valido de este Cura de aldea para regar estos beneficios.

Por mi mano han pasado centenares de árboles frutales regalados por Don Lázaro a campesinos pobres con la única mira de que tengan algo más con qué vivir más humanamente. Y este Cura de aldea los ha repartido a nombre de Don Lázaro.

Por las manos de este Cura de aldea han pasado muchísimos sementales de razas finísimas, sementales que han llegado a las manos de rancheros pobres, solamente con el fin de que estos rancheros mejoren sus animalitos. Y este Cura de aldea los ha repartido con gozo infinito sabiendo que sus feligreses andando el tiempo y teniendo lleno el estómago, mejor habrán de beneficiar y glorificar a la Divina Providencia. Porque antes de hablarles a los hombres de Dios, hay necesidad de llenarles el estómago (...) y en estos seis años, vive Dios, solamente he visto y palpado el gran interés y cariño con que Don Lázaro ha trabajado y se ha sacrificado por el bienestar de esta región michoacana, antes tan arrumbada, descuidada y pobre; interés y cariño que ciertamente rayan en algo que no es combinación política, ni sed de riquezas ni una "pose" para atraer el aplauso de los tontos y de los que pretenden cobijarse bajo buena sombra, sino que es un auténtico y real apostolado, en bien de la gleba y de los necesitados eternamente despreciados.

Los numerosos testimonios de su misericordia, misericordia de buen cura de pueblo, acabarían por llenar libros. Francisco Martínez de la Vega lo oyó responder así a una queja por falta de tierra:

–Debes dirigirte, hijo, al comisario ejidal para que se levante un censo de todos los que estén en tu caso. Como aquí ya no hay tierras y las que tienen son muy escasas, habrá necesidad de llevarlos a otra zona. Para eso son las tierras que en todo el país están abriéndose al cultivo.

En 1951 lo conoció un joven ingeniero, maestro de su hijo Cuauhtémoc: Heberto Castillo. Le bastó el primero de muchos viajes con el General para percatarse de su competencia: "Cárde-

253

nas era un gran ingeniero –recuerda–, localizaba presas y caminos, rectificaba a los ingenieros." Al visitar Las Truchas, Castillo lo oyó decir: "Aquí no hay nada, pero va a haber."

En su peregrinaje cuidaba mucho su imagen y la de los que lo acompañaban:

–¿Cómo vienen los otros?

–Dormidos.

–Hay que despertarlos. La gente creerá que vienen borrachos... Los viajes son para aprender, no para dormirse.

–¿Y usted, general, qué hace para no dormirse?

–Pienso.

Castillo vio cómo una señora le contó cinco veces su historia.

251. Entendía a los curas.
252. Francisco Martínez de la Vega.
253. Era un espléndido ingeniero.

25

Cárdenas sólo decía: sí, sí. No la interrumpió. "Los campesino –comentó luego a Castillo– están abandonados. No tienen quiér los oiga. Nunca los callen. Nunca les quiten la palabra." "Con é –concluye Castillo– se podía aprender a tratar a la gente."

Luis Prieto, otro de sus jóvenes amigos, lo acompañó a una gira por el Sureste. En Catemaco se acordaba de la gente por su nombre: "¿Y fulano, el de las viruelas?" En Chiapas lo reciben los masones y le piden empleo. Ahí exhibe su "buen diente mariscoso" y no le hace el feo al jaibol o al mezcal. Lo que sí le molesta es el cigarro: "Mejor fuma puro, al menos ahuyenta los moscos." En Tabasco, Carlos Pellicer lo lleva a La Venta, le narra los últimos días de Cuauhtémoc y trata de volverlo al catolicismo A cada paso –Villahermosa, la Chontalpa, Palenque–, los campesinos lo rodean. Parece un militar en campaña. Una noche se pone melancólico y hace que le canten sones yucatecos. Le encantaba aquella que dice "Pobrecita de la palma..." En los pueblos de occidente se le recibe invariablemente con:

Juan Colorado me llaman;
soy, señores, de Michoacán;
el que me busca me encuentra
por el rumbo de Apatzingán

254. Prefería andar sus caminitos.
255. Momentos de grata felicidad,

En abril de 1955 uno de sus acompañantes asiduos publicó una serie de artículos: "Con Cárdenas en el camino", excelente crónica del promotor integral. Ante todo, ya se dijo, era un eficiente ingeniero:

> Con los planos tendidos en las peñas y rodeado de sus colaboradores, estudia y discute los detalles técnicos de la obra (...) camina sin meta alguna hasta llegar a la cima de una yácata desde donde se abarca el panorama y se conviene la mejor forma de construir dos pequeñas presas: una del lado de Guerrero para aprovechar las aguas del arroyo grande que viene de Guayameo; otra del lado de Michoacán para utilizar las aguas del arroyo de La Quesería y regar los terrenos ejidales de San Jerónimo.

Su labor técnica es incesante: dicta acuerdos, discute proyectos, evisa planes. Pero la actividad importante es otra. Un pueblo lo ecibe de fiesta: "Saludamos en usted la presencia de nuestro egundo Juárez." Al llegar, saluda a las autoridades, y como en os viejos michoacanos, se erige en tribunal patriarcal. Y escucha, scucha siempre:

> (...) la tierra de que disponen y el agua que les falta; lo mucho que trabajan y lo poco que cosechan; lo que las autoridades les niegan y lo que el comisariado les extorsiona; el ganadito que tienen y el semental que requieren para mejorar la cría; la escuela que construyeron, ladrillo por ladrillo, sólo Dios sabe con cuántos esfuerzos y sacrificios para que ahora les falte el maestro.

En algunas circunstancias se torna en juez que media en las lificultades entre ejidatarios y pequeños propietarios; en otras es nédico: "Creyéndolo acaso taumaturgo, un anciano le acerca a su ijo paralítico y le dice en tono suplicante: 'Cúramelo señor, con us manos milagrosas para que pueda ayudarme en el trabajo.'" Bajo la sombra de los mezquites ofrece a los vecinos de Arachanguio construir una escuela, introducir el riego, enviar un naestro, arreglar el campo de aterrizaje, abrir la brecha a Zirándaro. Es "el cura de pueblo"... de todos los pueblos.

n 1956 los sectores que aún quedan de la antigua Sociedad jidal de Nueva Italia –la orgullosa "hacienda sin hacendado"– leciden no retrasar más el reparto individual de parcelas. "Cómo e iba a sentir mi General si se pedía luego el parcelamiento." Por sos días se inicia también el arrendamiento de parcelas por conenio oral: sólo 100 de los 1038 ejidatarios no incurren en esta

255

herejía. Las compañías transnacionales han introducido nuevos y jugosos cultivos (melón, algodón, arroz, sandía, ajonjolí) que desde 1960 levantarán mucho el nivel de la zona. En 1957 se procede al reparto individual del ganado. Para hacerlo, los ejidatarios buscarían la aprobación de Cárdenas: "llevaremos a efecto lo acordado sin la aprobación del dirigente citado, pero cualquier indicación y en cualquier tiempo del ya citado general Cárdenas, por nuestra unánime voluntad, será aceptada".

Todo se vende y renta: hasta los orgullosos limoneros.

El apóstol del ejido –escribe Luis González– acaba resignándose a la vuelta del latifundismo individual, y para impedir abusos mayores, vigila a través de la Comisión el alquiler de las tierras ejidales. La alianza de capitalistas compulsivos y ganosos de dinero y de ejidatarios sin ambiciones, indolentes y proclives al alcohol, derrumba la energía y las buenas intenciones del Tata.

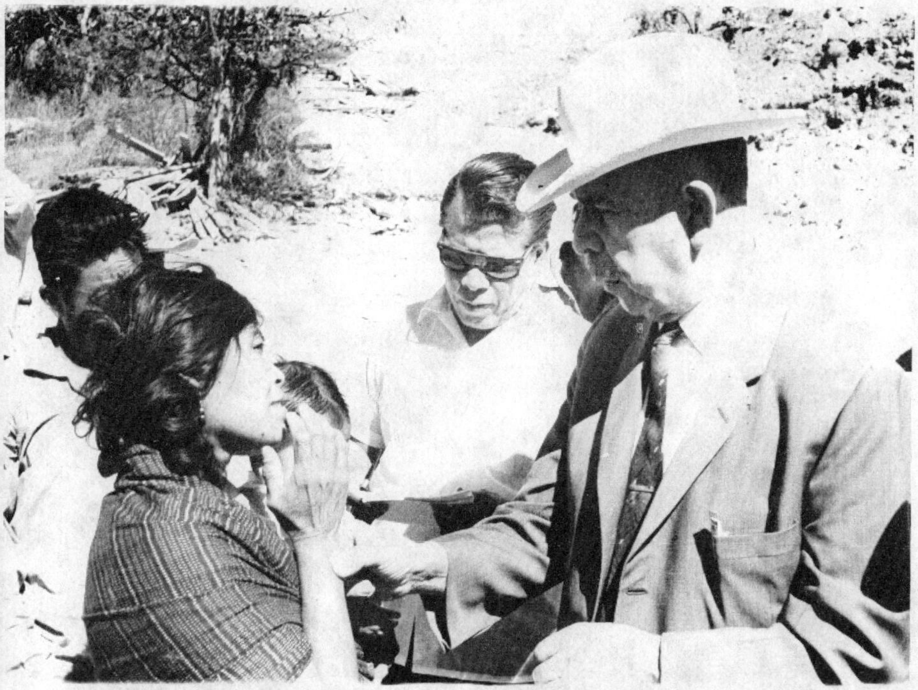

257

Carlos Fuentes visita la zona con el General en 1961. Ahí ve lo que le hubiera gustado ver, lo que los intelectuales citadinos han querido creer:

> Aquí se ha dado mentís a los detractores del ejido. Aquí no ha asomado el criterio individualista y rapaz (...) Los ejidatarios colaboran entre sí, distribuyen sus cosechas y reciben su ganancia (...) la fraternidad.

Cárdenas se resigna al latifundismo individual pero no al fomento del bienestar de sus coterráneos. Con buen éxito funda la Sociedad Ganadera Ejidal de Nueva Italia, que en 1966 tiene ya 95 socios y 520 vacas (dos años antes se había iniciado con 200). El presidente López Mateos la inaugura en marzo de 1964.

"La experiencia de Nueva Italia –escribía Ángel Palerm– acabó en un fracaso pavoroso." En alguna ocasión Cárdenas lloró al ver de frente los resultados. Pero ¿eran pavorosos? Sí, desde el mirador de sus sueños originales: no alcanzó la justicia social ni la igualdad. Pero logró cosas distintas: atrajo emigrantes; introdujo servicios de salud, riego, educación y algo todavía más preciado en la Tierra Caliente, algo que no estaba en sus planes:

> Ser libres... hacer lo que se nos pega la gana... levantarnos temprano o no, poner un año un puesto de cacahuates y atenderlo o ir a andar... rentar nuestras parcelas si se nos antoja... y cuando la situación llega a estar fea... trabajar en el jornal en nuestras parcelas o en las ajenas... Todo eso es muy cosa nuestra y a nadie incumbe.

256. En el Paricutín.
257. Para eso tengo las orejas grandes.

Izquierda mexicana

HACIA 1939, en vísperas de una audiencia con el presidente Cárdenas, Adolfo Orive Alba recibió este consejo de su admirado maestro Vicente Lombardo Toledano: "Recuerde que el Presidente no es marxista leninista. Es un hombre de izquierda." Más que una advertencia práctica a un joven de ideas radicales, la distinción daba en
l blanco ideológico del Presidente.

Desde los remotos años con Múgica en "Tuxpan de ideales",
árdenas sentía una admiración franca y clara por el socialismo.
as arduas lecturas a las que quiso someterlo Múgica y la prédica
le los estudiantes en los cafés nicolaítas perfilaron un poco las
udas aristas intelectuales de su ideología, pero no añadieron mu-
ho a su fondo antiguo, sentimental, colectivista y humanitario. A
odo lo largo de su sexenio había mantenido su fe en el ideal
ocialista y discurrido ensayos, como el ferrocarrilero, para lle-
arlo a la práctica. Los reveses impusieron cambios a su política
ero no desviaron su credo. Así lo muestra esta confesión a su
ada vez más frecuentado *Diario* en 1946:

Nunca he negado mis personales simpatías a un sistema social como es el comunismo, que suprime las oligarquías, los privile-

258. Solaz.
259. "Nunca he negado mis simpatías por los comunistas".

259

gios y las inmoralidades y que emancipa a la colectividad d toda la lucha de clases (...) (el comunismo es) una idea d liberación (...)

En otro párrafo apunta, casi con malicia: "El comunismo es e 'cuco' de los ricos y la esperanza de los pobres." Había un con vencimiento y una mordacidad nuevos en él. La causa no es ideo lógica sino política: la intensificación de la Guerra Fría, la políti ca de Truman convertido a su juicio, desde Hiroshima, en crimina de guerra. Tres años más tarde resumiría su sincero aunque n muy original decálogo socialista.

I. La miseria, la ignorancia, las enfermedades y los vicio esclavizan a los pueblos;
II. A cada quien en relación a su trabajo; a todos según su necesidades de pan, casa, vestido, salud, cultura y digni dades;
III. Obtener la máxima eficiencia, con el mínimo de esfuerz y la más equitativa distribución de la riqueza;
IV. Sin gran producción, no hay amplio consumo, ni gra industria, ni economía poderosa, ni bienestar colectivo, n nación soberana;

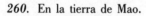

260. En la tierra de Mao.

26

V. Todo Estado moderno exige una técnica dirigida hacia la abundancia de bienes esenciales y de equipos eficientes de cultivo, de transformación, de comunicaciones, de cambio y de cultura;
VI. Suprimir lo superfluo para que nadie carezca de lo necesario y se evite que los ricos se hagan más ricos y los pobres más pobres;
VII. Contra la patria, nadie. Por la patria, todo;
VIII. Todos somos servidores de las causas de la libertad, la democracia y el progreso;
IX. Las reformas avanzadas son victorias de las fuerzas del bien sobre el mal en sus luchas por la redención de los oprimidos;
X. Sólo la justicia social garantiza la paz y la felicidad humana.

Por esos días agrega, más categórico: "Sólo la cultura socialista hará de México y de los demás países 'coloniales' naciones verdaderamente libres y progresistas."

La guerra de Corea acrecentó aún en mayor grado su antimperialismo. "Es la aventura más torpe y más desastrosa emprendida por el gobierno norteamericano. Venciendo, su derrota moral está anticipada." En pleno macartismo, el general pudo añadir otro agravio a la centenaria cuenta: el golpe contra Jacobo Árbenz en Guatemala. A su amigo Tannenbaum le comenta con anticipación: "Guatemala será la víctima esta vez." En ese mismo año, 1954, Cárdenas escandaliza al mundo oficial cuando se presenta en el sepelio de la mujer de Diego Rivera: Frida Kahlo.

A mediados de 1956 Cárdenas se entrevista con el presidente Ruiz Cortines. Entre los puntos que tocan, su *Diario* consigna uno, realmente histórico:

> Trasmití solicitud de un grupo de cubanos que con el doctor Fidel Castro Ruz, fueron detenidos varios días por la policía y notificados debían marcharse del país quince días después, en cuya solicitud piden al gobierno de México que se les conceda su permanencia por carecer de relaciones para que se les admita en otros países.

El Presidente accede. Apenas dos días antes Cárdenas había conocido a Castro: "Es un joven intelectual de temperamento vehemente, con sangre de luchador." Ambos ignoraban quizá el camino que se abría con aquel encuentro. Sin la intercesión de Cárdenas, Castro hubiese tenido que abandonar México y la Revolución cubana habría tenido un destino más azaroso. Ese mismo año Cárdenas recibió el Premio Stalin de la Paz.

261

261. Viajero.

262

262. Frida y Diego: "Castro es un joven con sangre de luchador".

A fines de 1958 el movimiento de maestros topa con la represión oficial. Cárdenas pospone su primer viaje fuera del país. A los pocos días sale para Nueva York. Su destino final es Europa, en especial la Europa socialista, la URSS y China. Los rascacielos lo impresionan menos que Central Park:

> Unos cuantos parques arbolados (...) hacen contraste agradable frente a los bloques que la técnica humana ha construido para concentrar ahí su poderío económico, producto de la organización financiera internacional y del sudor y sangre de pueblos de éste y otros continentes a los que se ha limitado su desarrollo y que siguen viviendo precariamente.

Su recorrido –como era natural en él– es inmenso: Francia, Bélgica, Holanda, Alemania, Polonia, la URSS, Checoslovaquia, Austria, Italia, Suiza, Francia, de nuevo la URSS, China, Japón. El mundo occidental lo atrae poco. Cárdenas no es hombre de museos y arte. Sus ojos reparan sólo en los paisajes: los olivos en Trevi, la erosión de la tierra y los intentos de reforestación en la Toscana. En la URSS se entrevista con Nikita Jrúschov. Su *Diario* recoge una impresión parejamente favorable al sistema soviético: "ha sacado de la miseria al pueblo". Después de ver en Pekín los avances de la Revolución maoísta, apunta: "Cuando vi pueblos de otros continentes organizados socialmente entonces he creído en la esperanza de los pueblos de nuestro continente." Una noticia recibida en Niza acrecentó aún más su esperanza: el triunfo de Fidel Castro, su protegido en México.

El 26 de julio de 1959, ante una multitudinaria manifestación, Lázaro Cárdenas comparte el estrado de honor con Fidel Castro. Elena Poniatowska recordaría la escena:

> Había tanta rectitud, tal sinceridad en este pueblo erguido frente a las tribunas que Cárdenas, nuestro Cárdenas, robusto y sano, el árbol más gallardo de México, se veía profundamente alterado (...) Al lado (de Castro), Cárdenas es todo fuerza contenida y la sobriedad de su traje (...) contrasta con los barbudos exaltados (...) "Cárdenas es el padre de todo esto".

263-264. "...es el padre de todo esto".

263

Nº 6,661 - Año XXIV ★ PRESIDENTE Y GERENTE GENERAL: Rómulo O'Fárrill, Sr. ★ MEXICO, D. F., LUNES 27 DE JULIO DE 1959 ★ DIRECTOR GENERAL Lic. Ramón Beteta. ★ Registrado como artículo de segunda clase el 21 de noviembre de 1939 en la Administración de Correos de México, D. F.

Fidel Acata el Deseo Popular y Vuelve al Gobierno

También Contra la Revolución Mexicana Hubo Leyenda Negra: Cárdenas

Pide Respeto Para la Cubana los Cubanos

Habló Ante Casi un Millón de Personas que le Aclamaron

LA HABANA, 26 de ju- (AP). — El ex presidente de México, general ázaro Cárdenas, pidió "igual que millones hispanoamericanos, respeto para la revolución el pueblo de Cuba", en discurso que pronunció te aproximadamente millón de personas que istieron a la plaza cívide La Habana para dear su apoyo a la reforagraria del gobierno reionario.

árdenas dijo que "la leyenegra y la campaña de fales" contra la revolución también ha sido uti- contra la revolución ana cuando ésta hizo mejor distribución de las as, y también se hicieacusaciones de hallarse al icio de gobiernos extran-

REVOLUCION MEXICA- CONTINUO SU MARCHA

embargo, la revolución

LOS SOLDADOS DEL EJERCITO CUBANO desfilan ante el estrado desde el cual pasó ayer revista Fidel Castro, en La Habana, a las fuerzas militares de Cuba, antes de asistir al gran mitin en que alrededor de un millón de cubanos le pidió que volviera al gobierno. Castro aparece directamente bajo la bandera cubana. A su derecha está el ex presidente de México, Lázaro Cárdenas. (Radiofoto UPI para NOVEDADES).

Nikita y Nixon en Secreto Abordan el

Impulso y Defensa de la Revolución, es su Propósito; Confundirá a sus Enemigos

Supremo Triunfo del Líder, a Quién la Multitud Ovacionó, al Celebrar el 26 de Julio; Incidentes

Por HAROLD K. MILKS, corresponsal de la Prensa Asociada

LA HABANA, 26 de julio (AP). — Fidel Castro aceptó esta noche el mandato de una enorme multitud para volver a ocupar el puesto de primer ministro.

Castro prometió impulsar y defender los ideales de la revolución y confundir a sus enemigos. La gigantesca multitud estalló en una ola de entusiasmo cuando tuvo la noticia, primero del presidente Osvaldo Dorticós y seguidamente del propio Castro. La mayoría de los cubanos habían sospechado que esto ocurriría.

Para Castro, en este sexto aniversario de su Movimiento 26 de Julio, fue un momento de supremo triunfo, así como también un despliegue espectacular de su propia fuerza y popularidad. Le acompañaba en la tribuna, el ex Presidente de México, general Lázaro Cárdenas.

MAGNA CONCENTRACION

El millón de cubanos concentrados en la Plaza Cívica vitorearon ensordecedoramente a Castro por más de 15 minutos, y cuando al fin pudo seguir hablando el primer ministro expresó: "El pueblo podía haber dicho no, simplemente como dijo que debería volver al gobierno. En consecuencia, es la voluntad de un pueblo, no la voluntad de un solo hombre o grupo, la que ha sido cumplida".

Con anterioridad, durante los festejos que señalaron el sexto aniversario del ataque al cuartel Moncada en Santiago de Cuba, multitudes festivas y ruidosas celebraron el día en una atmósfera de felicidad.

CASTRO TIRO AL BLANCO

264

265

"Es nuestro único mexicano", exclamaba con orgullo Fernando Benítez, de visita también en la gran fiesta revolucionaria. Ya en el avión, el asiento de Cárdenas era "un confesionario aéreo". El General se veía rejuvenecido. El triunfo de Castro debió recordarle sus propios triunfos, además de ser, en un sentido cuando menos, triunfo suyo: "Castro es un hombre de gran fuerza y bondad –explicó a la joven Poniatowska–; todo lo que pasa en Cuba es alentador."

Al regresar a México, el ex presidente Cárdenas y el presidente López Mateos tuvieron una de las muchas entrevistas de su conflictiva relación. Desde un principio Cárdenas se erigió en abogado moral de los presos políticos, encarcelados por el régimen a raíz de los movimientos magisterial y ferrocarrilero. Una y otra vez a lo largo del sexenio Cárdenas gestionó su libertad: "Es nocivo para el país –registró a fines de 1959– que para gobernar no se confíe en la fuerza moral de la investidura institucional y que se gobierne con temor, recurriendo a la fuerza armada." Una y otra vez el Presidente se negó a liberarlos, argumentando que Cárdenas estaba mal informado sobre los verdaderos fines de los presos. En 1960, al celebrarse con bombo y platillo los 50 años de la Revolución, Cárdenas escribió en sus *Apuntes:* "Qué contradicción y qué sarcasmo, oír al Secretario de Gobernación Díaz Ordaz (...) decir que están garantizados los derechos ciudadanos."

En 1961 el contrapunto entre aquellos hombres subió de tono. Según Daniel Cosío Villegas, conocedor de los entretelones políticos, López Mateos llegó a desear que Cárdenas se levantara en armas para acallarlo. El ex Presidente no se acercó a esos extremos, pero tampoco se cruzó de brazos: en el mismo año es personaje estelar en la Conferencia Latinoamericana por la Soberanía Nacional, la Emancipación y la Paz. Muy pronto bendeciría también el nacimiento del Movimiento de Liberación Nacional. Para entonces era evidente la confluencia de la izquierda joven, universitaria, intensamente procubana y antimperialista, con "el árbol más gallardo de México".

A raíz de la invasión de Playa Girón, Cárdenas decide ir a pelear a Cuba. En el aeropuerto lo encuentra Heberto Castillo. Muchos de los más afiebrados intelectuales se habían "rajado" a la hora buena.

–¿También usted me viene a despedir, Heberto?
–No, señor. Me voy con usted.

El vuelo no salió, por orden presidencial. Carlos Fuentes recordaría la secuela:

El 17 de abril de 1961, Lázaro Cárdenas subió al toldo de un

266

Cárdenas Defendió a Fidel Castro Anoche, en un Mitin en el Zócalo

Sigue de la primera plana

Abundaron las mantas y carteles de todos tamaños condenando al imperialismo yanqui y se distribuyeron profusamente miles de volantes achacando la invasión a los Estados Unidos. No faltaron además los gritos de "prensa vendida".

Cárdenas habló durante 25 minutos y varias veces fue interrumpido con aplausos y vítores al precisar nuevamente su postura ante la invasión a Cuba y anunciar que saldrá a La Habana en cuanto haya medio de hacerlo.

Aunque la marcha de la gran columna por la avenida Juárez y Madero fue lenta, llegó al Zócalo antes de las 20 horas y ahí tuvieron que esperar al general Lázaro Cárdenas, que se presentó a las ocho de la noche en punto, como lo había ofrecido.

Descendió de su vehículo en la esquina del Zócalo y 20 de Noviembre, junto al edificio del Departamento del D. F.

AFECTUOSA BIENVENIDA

La gente empezó a correr hacia él, y lo rodeó junto con su comitiva, en la figuraban el senador michoacano Natalio Vázquez Pallares y el licenciado Ignacio García Téllez.

Decenas de manos eran tendidas hacia el divisionario, que esbozaba una sonrisa. Vestía traje café recto y corbata de igual color. Lucía además un sombrero claro.

La comitiva era zarandeada de un lugar a otro. El general Cárdenas no se cansaba de estrechar manos en medio de una gran gritería de vivas y de "Estamos con usted", o de

EL GENERAL Lázaro Cárdenas, encima de un vehículo se dirige a la multitud congregada anoche en el Zócalo y ante ella demandó que los Estados Unidos cesen el bloqueo sobre la isla antillana. Uno de sus ayudantes graba su discurso en cinta magnética.

en la bolsa y otra cruzada en el pecho.

'Advirtió que Cuba fue agre-

somos defensores de nuestros propios hermanos.

CONTRA LOS

Un sonoro y unánime "no" obtuvo de la multitud cuando le preguntó si el pueblo de México se dejaría imponer una dictadura.

Otro "no" volvió a resonar cuando preguntó si creían que el pueblo cubano podría ser de esclavos y si estando armados, hombres y mujeres, soportarían una dictadura.

Puntualizó que es necesario tener espíritu de responsabilidad y organización, qué es lo que se necesita pues en México hay conciencia de cómo debe portarse un pueblo para resolver sus propios asuntos.

DEBER DE LAS INTELECTUALES

Añadió Cárdenas que se requiere serenidad y que los sectores intelectuales tienen la obligación de defender con organización a los habitantes del campo que son quienes sufrirían las consecuencias.

"Creo oportuno decirle a los Estados Unidos que no mantengan más regímenes dictatoriales", dijo y señaló cómo Colombia es víctima desde hace 12 años de una dictadura y apuntó que países como Argentina y Venezuela han expresado su solidaridad con Cuba. Indicó también que hay represiones en muchos países, por culpa de los Estados Unidos.

También dijo que "no vamos a resolver los problemas con gritos o con acciones aisladas sino con organización. Que se organicen los sectores en general, los trabajadores, que los del campo siempre están organizados".

Pidió a los presentes, "a los jóvenes, a lo mejor de la patria, que se hagan oír, que hablen, que hagan campaña contra el país que cree que con oro lo domina todo".

267

automóvil colocado en el centro del Zócalo y habló a los miles de manifestantes que se habían reunido para protestar la invasión de Playa Girón y ofrecer su apoyo a la Cuba de Fidel Castro. Se le había impedido a Cárdenas volar a Cuba y luchar físicamente contra la invasión. Ahora, durante treinta minutos, se le impidió, también, hablar: la ovación más larga que he escuchado recibió a este hombre que veintitrés años antes, había proclamado la nacionalización del petróleo desde el balcón central de Palacio y ahora, desde el nivel de la calle, defendía la independencia de una pequeña nación amenazada.

El presidente López Mateos contenía apenas su rabia: "Se dice que los comunistas están encerrando a usted en una madeja peligrosa." Para Cárdenas el único peligro real en América Latina no era el comunismo sino la miseria. Sin presidirlo –"no puedo: soy expresidente"– siguió apoyando al MLN: "en realidad no simpatiza el licenciado López Mateos con esta organización de la cual formo parte". Lo más notable es que en su exaltación socialista no perdiera el sentido crítico: "En la URSS, el pueblo ha salido de la pobreza, la riqueza distribuida en todo el pueblo (...) ya no es un pueblo que pueda reprimírsele en sus aspiraciones, ni en la libertad de pensar y opinar."

En 1962, acompañado por el historiador Gastón García Cantú, Cárdenas visita a la suegra de Rubén Jaramillo, líder campesino

265. Valentín Campa, líder ferrocarrilero.

266. "Es nuestro único mexicano": Fernando Benítez.

267. Última arenga.

20

de Morelos asesinado días antes por órdenes oficiales. Durante e viaje del presidente Kennedy a México, Cárdenas no asiste a re cepción alguna. Las relaciones con el régimen no pueden ser má tirantes, pero puesto a escoger entre la institucionalidad y la opo sición, Cárdenas opta por la primera.

Para desconcierto de muchos miembros del MLN y aun de viejo compañeros de lucha como Heriberto Jara, Cárdenas acepta final mente el puesto de vocal de la Comisión del Balsas. Jara lo im pugna porque el régimen no ha excarcelado a los presos. Cárde nas piensa que en la Comisión podrá defender con éxito lo codiciados yacimientos de Las Truchas. Por lo demás, su viejo casi infalible instinto político tocaba a retirada: el MLN no habí crecido como él hubiese deseado; el Presidente no cedería en e problema de los presos; por si faltaran motivos, extrañaba su que rencia y su querencia lo extrañaba a él. Tiempo después, d nuevo sobre el yip, Cárdenas escribe:

> A los 68 años me siento bien. Vengo con frecuencia a los azu fres. El baño de este manantial es un sedante para mí... Veng para no enfermarme. La mayor parte del mes mis recorrido son por brechas; seis horas de sueño diariamente.

En diciembre de 1963, en plena campaña diazordacista, Cárdenas vuelve a una vieja convicción: el agotamiento político del sistema. Pero sus palabras son ahora desusadamente duras:

El proceso político (...) ha caído en una nueva dictadura que amenaza la paz interior del país si no cambia su estructura y abre paso a las nuevas generaciones que vengan a darle otras tónicas al ejercicio político del pueblo mexicano que luchó en la Revolución inicial por dos principios: sufragio efectivo y no reelección.

Su cargo en el Balsas no lo limitaba para realizar actos simbólicos de oposición. El 15 de septiembre asiste al Grito como un ciudadano más. Aquella noche llovía y algunos agentes de tránsito lo invitan a pasar frente a Palacio. Él les agradece la deferencia, pero no acepta. En los días finales del sexenio, escribe al Presidente una carta de la mayor claridad en defensa de los presos políticos:

En efecto, su filiación política y sus ideas sociales los identifican como elementos radicales, socialistas o comunistas. Y su larga y bien conocida trayectoria los coloca en las filas de la resistencia sindical o de la oposición al gobierno.

Sin ánimo de defender las teorías o las prácticas del comunismo, pero a la vez sin prejuicio alguno respecto a estas u otras tendencias revolucionarias, deseo expresar a usted mi opinión en el sentido de que sustentándose la Revolución Mexicana en principios democráticos y socialmente avanzados, recogidos en letra y espíritu en las leyes que nos rigen, se antoja una contradicción que un régimen emanado de una lucha social y política profunda, mantenga en la cárcel a un grupo de hombres, aparentemente en razón de su ideología o de su acción sindical que, por extremas que sean, están lejos de representar una amenaza a la estabilidad del gobierno. Y, a decir verdad, aquellos luchadores nunca pretendieron subvertir el orden constituido.

Tan perjudicial es, a mi juicio, la represión contra elementos avanzados, sean o no comunistas, como la que pudiera ejercerse contra los conservadores o reaccionarios contraviniendo, en ambos casos, los derechos individuales y sociales y las libertades constitucionales que tanta sangre costara entronizar y mantener. Toda represión por causas ideológicas, políticas o sociales debilita la fuerza de las instituciones republicanas, democráticas y progresistas.

Me permito apelar a la reconocida ponderación del estadista para que, de no haber resolución positiva de la Suprema Corte ante la solicitud de amparo interpuesta por los presos, se pro-

269

268. Gratitud.
269. Con Adolfo López Mateos.

270

271

mueva la expedición de una ley de amnistía para que éstos recobren su libertad, acción que aportaría un nuevo elemento de tranquilidad y confianza para el futuro de la nación.

Confiando en su comprensión respecto al ánimo que me impulsa a renovar esta petición, la de que se establezca una mayor concordia entre los mexicanos, espero encuentre favorable acogida.

Lo saludo cordialmente y me reitero su atento amigo.

L.C. (*rúbrica*)

Aunque algunos presos salieron libres al concluir el periodo de López Mateos, la carta no tuvo respuesta. En sus *Apuntes* Cárdenas anotó una frase de Lao-Tsé dedicada, al parecer, al gobierno de licenciados ex vasconcelistas que tocaba a su fin: "Aquel que ensaya gobernar a un país por la sabiduría, se convierte en plaga pública. El hombre simple, de experiencia personal, es una bendición para la nación."

Dato curioso: muchos de aquellos licenciados habían estado cerca del gobierno de Benigno Serrato en Michoacán.

Al abrir el nuevo sexenio corrió la voz de que los restos de Porfirio Díaz regresarían al país. La noticia da pie al General para apuntar una de sus machacantes críticas morales:

> La comparación que haga el pueblo de México entre los de la dictadura porfirista y los que han lucrado en los puestos que les confió (la) Revolución, tendrá (para éstos) un saldo altamente desfavorable y hará que muy pronto se le tributen homenajes al "Héroe del 2 de abril".

No obstante, su relación personal con el presidente Díaz Ordaz es infinitamente mejor que con su antecesor. Media entre ambos un agrarista convencido: el ingeniero Norberto Aguirre Palancares. Al inicio del sexenio, con la solución del problema de los presos, las engañosas nubes de la política interna parecen disiparse. No así las de la externa: ante la escalada de Vietnam, Cárdenas acepta formar parte del Tribunal Russell. Poco a poco, sin embargo, su interés deja los escenarios mayores y se concentra en la zona más deprimida de la cuenca a su cargo: la Mixteca. Allí, su devoción llega al bolsillo: "(Mi) percepción se emplea en gastos, recorridos, ayudas, préstamos a dádivas que es igual y aún salgo con aportaciones de lo que he tenido que vender para cumplir con la comisión."

Más pronto de lo que Cárdenas mismo se percató, las nubes oscurecieron el horizonte. En 1968 el Presidente recibió varios mensajes del General en que sugería tolerancia con los jóvenes.

272

270-271. Condenó toda represión.
272. Con Díaz Ordaz su relación también fue difícil.

En lo privado, muchos estudiantes atestiguaron la solidaridad del viejo y mítico revolucionario con las nuevas inquietudes libertarias. En pleno movimiento estudiantil lo sorprende la noticia de la invasión soviética a Checoslovaquia. La reprueba con el mismo sentido de libertad y autodeterminación que defendió en su sexenio. El mismo que esgrimía para escudar a los jóvenes:

> *23 de agosto*
> Cd. Altamirano, Gro. Graves noticias de Europa.
> El territorio de la República Socialista de Checoslovaquia fue ocupado el 21 del presente mes por fuerzas de Rusia y otros países del bloque socialista. Hecho reprobable que lesiona los principios de autodeterminación, soberanía e integridad de las naciones.
> Cualesquiera que hayan sido los motivos para la invasión pudo el poder soviético haber empleado razonamientos para una solución de franco entendimiento y evitar sumarse a la actitud imperialista que sigue Norteamérica.
> ¿Qué base moral puede hoy aducir la Unión Soviética contra la injustificada y criminal agresión que sufre Vietnam?
> Nueva pólvora al incendio que ya flamea en varios continentes y que nos acerca más al conflicto mundial.

A raíz de los sucesos del 2 de octubre una marcada "depresión" lo envolvió. No podía ni quería creer que los soldados de la Revolución hubiesen empleado las armas contra los estudiantes. Poco tiempo después escribió sus conclusiones sobre el "caso estudiantil":

273. Simpatizó con el movimiento estudiantil.

273

274

Debo anotar en esta hora que he vivido estos últimos meses días de positiva angustia al ver que el régimen de la Revolución, de la que fui soldado, ha recurrido a usar de medidas drásticas durante los movimientos estudiantiles que han sido acusados de representar "conjuras comunistas".

Consciente o inconscientemente se está pintando a nuestro país de "comunista", cuando ya quisiera el pueblo mexicano que se llegasen a realizar los postulados de la Constitución que rige la vida del país.

Se ha escandalizado tendenciosamente pretendiendo maniatar al gobierno, presentándole panorama diverso a la realidad.

El régimen de la Revolución no está caduco a la fecha, fuerzas populares en mayoría apoyan al gobierno. Las fuerzas descontentas son en minoría y no comunistas y a estas fuerzas es fácil convencerlas con la razón.

Lo que ahora es realizable, corrigiendo los abusos que producen la violencia, obrando los responsables del poder con la serenidad que le corresponde a todo gobernante y más a los de un país como el nuestro, que fue vejado durante el periodo de la dictadura.

Entre la espada de la incierta oposición y la pared de un gobierno monolítico que, sin embargo, era a su juicio heredero de la Revolución, Cárdenas reitera su institucionalidad. Esto no impide

274. Luego del 2 de octubre, lo envolvió la depresión

275

que el secretario de Defensa le atribuya "indisciplina". Menos aún lo inhibe de ayudar a los amigos perseguidos.

A fines de 1968 el General visita a Heberto Castillo en un escondite. Le informa que el Presidente cree que lo protege... y es verdad. "Si le digo que no –aduce Cárdenas–, la cacería va a ser más fuerte." En un momento le ofrece su casa de Jiquilpan. "Ahí no entra nadie."

–No cabe duda, ingeniero, Díaz Ordaz le tiene mala voluntad.
–Yo también.

Meses después, ya en la cárcel, Castillo y sus compañeros tuvieron en Cárdenas un abogado permanente y firme. El 21 de mayo de 1969, al cumplir 74 años, escribe conmovido estas líneas: "He intercedido por su libertad y ni la amistad ni los servicios prestados han sido suficientes para conseguirlo. Falta sensibilidad y comprensión de cómo evitarle mayores problemas al país."

Meses después Cárdenas es designado presidente del Consejo de Administración de Las Truchas. Se realizaba su viejo sueño de explotar aquellos yacimientos por medio de una empresa pública. Pero su invariable institucionalidad no doma al crítico. Los desconcertados estudiantes del 68 le escucharon por entonces su consejo de oro:

276

277

Platiqué que en reuniones con estudiantes de la Escuela o Facultad de Ciencias Políticas y Sociales de la Universidad Nacional, mis sugerencias habían sido siempre en el sentido de que se organizaran políticamente para que pudieran representar fuerza e influir en el cambio estructural y reformas que les parecieran oportunas; que no fueran a los puestos de representación popular por simples designaciones de partido, sino contando con la voluntad y confianza de los sectores que quisieran representar; que de lo contrario si ingresaban a diputaciones u otros puestos de carácter electoral, sin apoyo popular y que si en uno u otro caso se desentendían de sus obligaciones, al terminar su función representativa quedaban como simples desechos políticos y sociales.

En sus mejores instancias, la joven izquierda mexicana no haría a la larga sino seguir, punto por punto, la buena prédica del General. Mientras el momento de la participación llegaba, los líderes seguían en Lecumberri. Heberto Castillo –que el 15 de septiembre de 1968 había dado el único Grito alternativo en la historia contemporánea de México– pasaba horas en su celda pintando en silencio un cuadro. Su tema era tan socialista como mexicano: Cárdenas reparte la tierra.

275. Trabajadores de Las Truchas.
276. Dinastía Cárdenas.
277. Siempre cerca de la tierra y de sus frutos.

278

En un altar tarasco

A PARTIR DE abril de 1961, "montado y armado" diariamente a las seis de la mañana, Cárdenas había reiniciado su peregrinaje por la cuenca del Balsas. Ningún viaje a Europa era comparable al placer de "andar sus caminitos". Ahora su preocupación no era tanto Michoacán o Guerrero –la zona del medio Balsas– sino la región más deprimida de la cuenca y, en cierta forma, del país: la alta Mixteca oaxaqueña.

Desde su campaña presidencial se había prendado de esos oscuros pueblos montañeses, predominantemente indígenas, que le recordaban la meseta tarasca. Había vuelto varias veces para escuchar, como solía siempre, las desdichas de los campesinos, pero desde su gestión no había tenido oportunidad de ayudarlos en forma directa. Con la Mixteca tenía una deuda pendiente, como explicó en 1969:

La región mixteca es una de las que me tienen más obligado a servirle. ¿Por qué esta obligación y no otras como la zona indígena enclavada en la serranía de mi Estado natal? Es que ya di el servicio que me fue posible cuando ocupé el puesto de gobernador de Michoacán y después en la Presidencia de la República y últimamente lo que estuvo a mi alcance en la Comisión de Tepalcatepec y del Balsas, promoviendo el almacenamiento de las aguas en irrigación, electricidad, caminos, salubridad y escuelas, organización cooperativa en las explotaciones resineras de los bosques ejidales, promoción del crédito para la producción agrícola, etcétera.

Aquí en la Mixteca, que abarca la montaña Tlapaneca, habitada por población indígena, precisa una mayor atención, tanto por sus condiciones de vida precaria, como para que se aprovechen sus recursos naturales en su propio beneficio, librándolos de la especulación de que vienen siendo víctimas. Caminos, escuelas, industrialización de sus bosques, son las actividades a realizar.

Volvió a sus hábitos de costumbre: recorrer sitios para ubicar pequeñas instalaciones de riego, abrir caminos para comunicar a los pueblos, escuchar a la gente. Procuraba llegar a los pueblos de modo intempestivo para evitar que los campesinos, por halagarlo, "sacrificaran sus gallinitas". Su fiel lugarteniente de aquellas jornadas, el arquitecto Pérez Palacios, recordaría años después el

279

278-279. Conciencia moral de la Revolución.

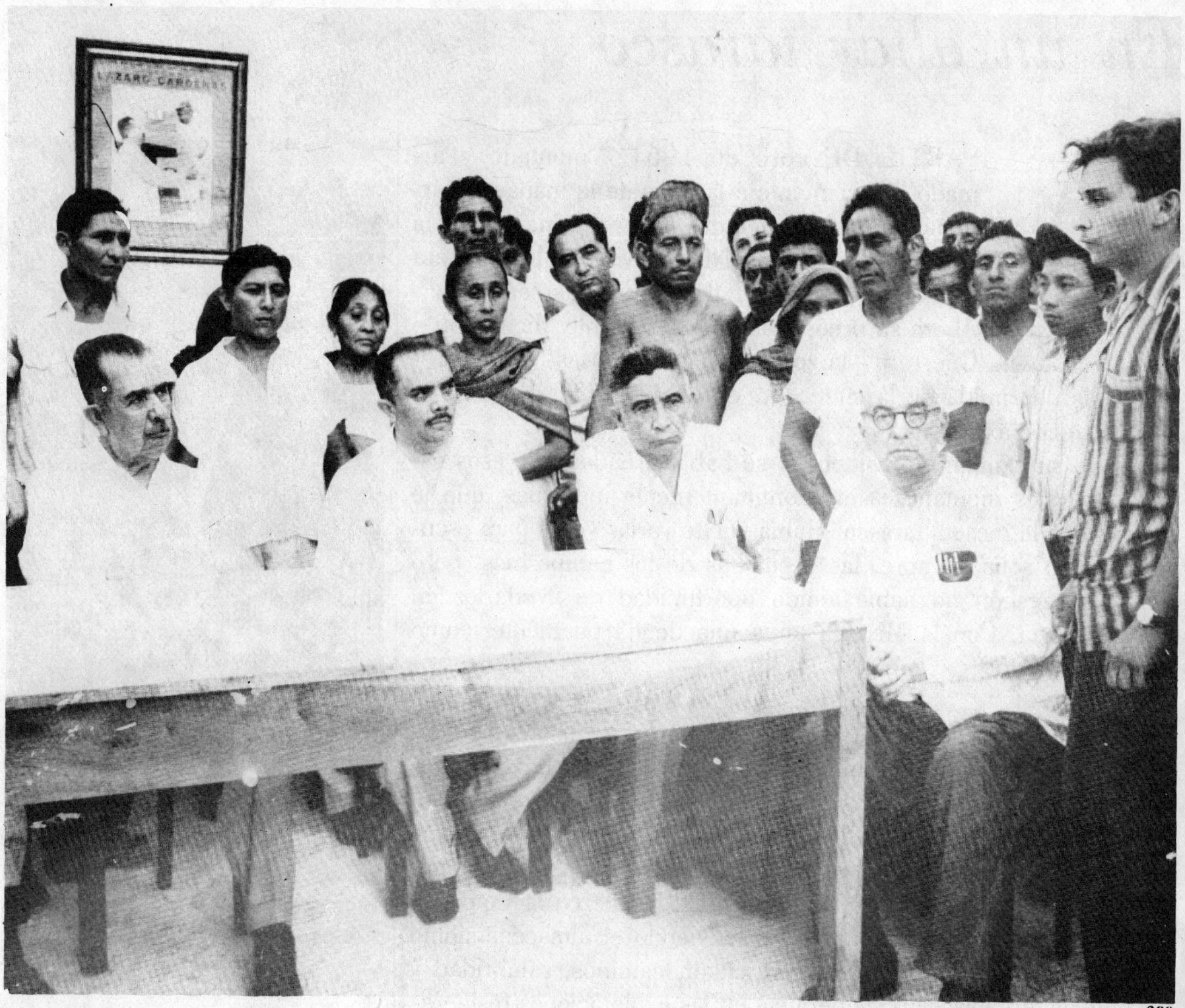

280

respeto de Cárdenas hacia las autoridades, su cuidado de las formas, los atuendos, las palabras, los tiempos. Él era el general Cárdenas, pero el más humilde presidente municipal era *la* autoridad civil, como el maestro y el "señor cura" eran la espiritual.

No siempre fue fácil su acción redentora. El cura de Mariscala de Juárez le hizo la guerra al grado de infundir en él cualidades insospechadas de narrador. A mediados de 1963 el General Misionero había intentado varias veces conversar con el sacerdote, que se escabullía como anguila. Deseaba solicitar su apoyo para la obra de fomento que realizaría el Gobierno y para limar las asperezas políticas que dividían al pueblo. Un día decidió alcanzarlo en la iglesia de Atoyac:

(...) misa: En ese momento, penetró por una puerta lateral el sacerdote, vistiendo sus hábitos talares. Me acercaron una silla y les manifesté permanecería de pie, y agregué: si ustedes acostumbran hincarse, háganlo si gustan. Lo hizo la mayoría de los campesinos. El sacerdote me dirigió la vista durante unos segundos; luego, volteó hacia el altar y dio principio a la ceremonia. Fue una prédica en latín durante cuarenta minutos, que escucharon con atención una parte de los asistentes; otros, dormían, posiblemente por la desvelada del día anterior o por el largo sermón. Terminado su latín el sacerdote se retiró a su cuarto contiguo, entre tanto el sacristán puso en las manos de cada asistente una vela de cera, que el mismo sacristán encendía al entregarla. Yo la recibí, como asistente a la misma. Al terminar el reparto el sacerdote volvió y continuó su misa, mirando antes hacia donde yo me encontraba.

Nuevamente durante treinta minutos continuó su prédica, y en esta vez ya en castellano. Habló de la persecución que la Iglesia católica había sufrido en épocas pasadas. No hizo ataques personales; sí recalcó las penas de la Iglesia y de los creyentes. Ni un consejo de unidad, de tolerancia para el ignorante, ni de organización de trabajo, ni de formas para aliviar su pobreza. Nada con miras al presente y al porvenir. Nada de ello, pura palabrería; mantener el rencor y la desconfianza.

281

282

280. No siempre fue fácil su acción redentora.
281-282. Próximo fin.

283

284

Terminó su segunda letanía y volvió al cuarto contiguo, sacristía, y a los pocos minutos regresó y tras él el sacristán que se dedicó a recoger las velas que fue apagando y recibiendo el importe de la vela. Al llegar a mí, le dije: déjamela como recuerdo, le dejo su costo. Se resistía a dejármela, diciendo: es costumbre recogerla, señor; pero la intervención del Comisariado Ejidal que me acompañó de pie a la misa, le habló y la dejó. La quiero conservar como un recuerdo de este episodio de mi vida, le platiqué. Hace cincuenta y un años que acompañé a mi madre a la última misa y que volví a oír hoy, en circunstancias y con prédicas muy diferentes a las que de niño llegué a escuchar.

A continuación, siguió con el bautizo de más de cincuenta niños que llevaron sus madres. Todo el tiempo del bautizo lo pasamos observando las reverencias y bendiciones del sacerdote a los niños, que sus madres le presentaban en actitud humilde. El sacristán caminaba al paso del sacerdote recogiendo en la charola la dádiva por el bautizo.

Salimos de la iglesia y entregué la vela a Valente Soto, que había quedado en la puerta del templo observando no se fuera a retirar el sacerdote sin oírme. Por el mismo Comisariado Ejidal, ya tenía conocimiento el sacerdote que yo había ido allí para hablar con él. Voy, dijo el Comisariado, a saber si ya está dispuesto el señor cura, y tuvo la cortesía de contestar que iba a almorzar y que pasados unos momentos me atendería. Bien, manifesté al Comisariado, ve y que le sirvan lo mejor, debe estar agobiado por lo mucho que ha trabajado hoy con sus letanías y los bautizos. Regresó el Comisariado y me comunicó: el señor cura no tardará en recibirlo. Y así, a los pocos minutos llegó un enviado a la puerta de la iglesia en donde me encontraba con un grupo de campesinos, y me trasmitió me esperaba en el mismo cuarto sacristía. Cuarto semioscuro por el que penetra algo de luz. Una pequeña mesa, en uno de los ángulos del cuarto una silla en la que él tomó asiento y otra frente a la mesa, que me fue ofrecida. Parte del pueblo se congregó a la entrada de la puerta y el sacerdote les pidió se retiraran, que oscurecían el cuarto cubriendo la puerta. No se retiraron. Intervine: déjelos que pasen a escuchar la plática. Son muchos, no caben, contestó. Sí, señor cura, los hacemos caber. Pasen, señores, y tomen asiento. Y en tropel penetraron y se acomodaron sentados en el suelo. Ya no replicó pero ningún rasgo de bondad en su fisonomía de piedra para sus humildes feligreses, y naturalmente, menos para mí.

Dispense, señor cura, lo haya seguido hasta alcanzarlo aquí. He intentado hablarle en su propio curato y no lo he logrado, y hoy me propuse seguirlo en carro, a caballo o a pie hasta encontrarlo, para hablarle de la división que existe entre los vecinos de Mariscala. Dos grupos luchan por el poder municipal. Un grupo que pertenece al Partido de Acción Nacional que se dice amigo de usted y otro representado por el señor doctor Salas, miembro del Partido Revolucionario Institucional. Le pido a usted, como ya lo hice con el señor doctor Salas, se tengan tolerancia en sus diferencias políticas, y más, cuando que la mayoría de ambos bandos son católicos y pobres, y Mariscala, como muchos pueblos de esta región mixteca, tiene muchas necesidades y el gobierno, que cuenta hoy con mayores recursos por el desarrollo cultural y económico que van alcanzando varias regiones del país en que se han aprovechado los recursos naturales que son más abundantes que los de esta región mixteca, va a atender poniendo en práctica un programa de carácter integral, pero para ello necesitamos contribuir todos a que haya paz y coordinación en los problemas que les son comunes, respetándose las ideas de cada grupo, dejando ya las prédicas de odio y venganza de unos y otros.

Le hablé de que hay actualmente ejemplos de hombres de Estado en diferentes países del mundo que parecían irreconciliables y hoy se entienden, y también representantes de la

283. Visita al general Manuel Jesús Aguirre en Guadalajara. Agosto de 1970.
284-285. Últimos días.
286. Los campesinos cargan su féretro...

285

286

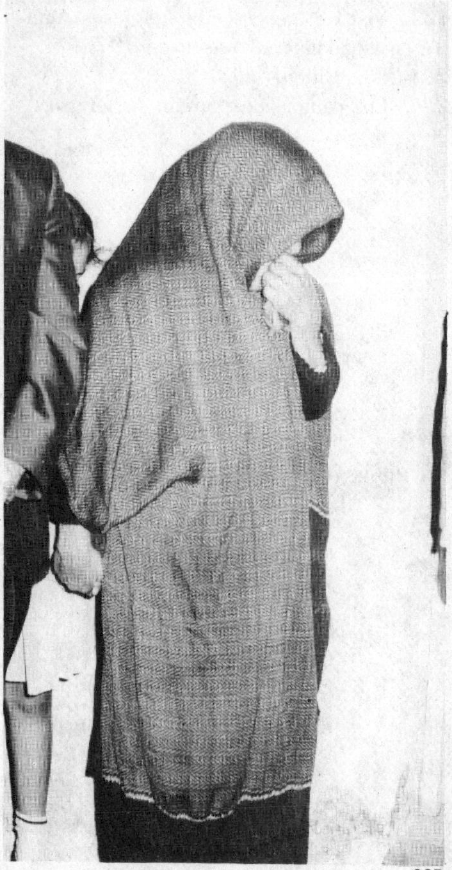

287

Iglesia católica desde el Papa y hasta subalternos, que predican la tolerancia y no la lucha violenta, y es penoso que estos pueblos que viven tan precariamente no vayan a mejorar por mantenerse en pleitos domésticos.

Yo no hago labor divisionista –contestó. Sólo defiendo mi religión y la explico a todos los creyentes. Aquí hay muchachos que pueden decir si yo les aconsejo mal. A ver, tú, dirigiéndose a un joven, ¿les he dicho algo en contra de otro? No, padrecito, expresó.

Sólo he querido, señor cura –le manifesté–, encontrarlo para pedirle su cooperación para que Mariscala no siga en pleito y para que con mayor facilidad puedan realizarse las obras ya proyectadas para Mariscala, como agua potable, irrigación, escuelas, salubridad, caminos y todo aquello que pueda representar nuevas fuentes de trabajo que mejoren las condiciones de vida de la población. Haré lo que esté en mis posibilidades contestó. Nos despedimos.

288

287. ...y lo lloran.
288. Su tumba en el monumento a la Revolución.

Cárdenas guardaría más como reliquia que como curiosidad la vela que el sacristán había puesto en sus manos. Su prédica humilde y respetuosa, su llamado a la fraternidad quizá no convencieron al "señor cura", pero tocó muchas veces el alma de los campesinos mixtecos. Era la voz de un "señor cura" distinto, que no oficiaba en parroquias ni invocaba a Dios, pero hacía, en cambio, una obra vasta y tangible: "caminos que abren caminos", pequeñas presas, maíz barato, escuelas. ¿Sabía que su apostolado social lindaba con una misión sacerdotal? ¿Qué pensaba en aquellas horas en que permanecía solo, sombrero en mano, frente al pórtico de una ermita cercana a Jiquilpan, pero sin entrar jamás a ella?

En algunos sitios su yip fue el primer coche que se había visto. Llegaba a los lugares más intrincados con preguntas concretas a la gente concreta. Era común que los campesinos lo utilizaran como banco de refacción. Accedía a prestarles, no sin antes inquirir sobre el destino productivo de la cosecha y la forma de pago. Era común también que los campesinos le cumpliesen. A veces no prestaba o regalaba dinero sino bienes. En una ocasión, por ejemplo, surtió de instrumentos musicales a una ranchería. Al volver –porque siempre volvía– se le recibió con júbilo:

–¿Qué quieren, muchachos? Voy de carrera.
–Tocarle una sinfonía con los instrumentos que nos hizo la merced de regalarnos.

Cárdenas aceptó complacido. Mientras se disponía a escuchar la "sinfonía" advirtió a un viejito pasado de copas y con figura oblicua: "¿De cuál agüita toman ustedes? Párate bien, viejito." En seguida la orquesta tocó una sinfonía conocida: "¡Pero si es el Himno Nacional! En fin, más respeto pa' la próxima."

"Trainos de la lumbre que no quema, Tata." Y el Tata hizo la luz en muchos pueblos. Hubiera querido darles más, pero topaba con obstáculos humanos y espirituales. A veces el progreso no llegaba por falta de recursos. Otras, por razones más subjetivas:

–Vamos haciendo que ustedes se bajen de los cerros. Haremos casas, habrá luz, agua...
–¿Y qué vamos a hacer con nuestros muertitos?
–Quédense, pues.

Había que llevar a sus límites humanos la misericordia. Por eso recogió y nutrió en su propia casa de México a 18 niños. Por eso siguió recorriendo sus brechas y caminitos de la Mixteca, a sabiendas del cáncer terminal que lo llevaría a la muerte. Casi

289

a fuerzas lo trajeron a México. Murió el 19 de octubre de 1970, 25 años exactos después del general Calles.

Jean Meyer, el gran historiador de los cristeros, recoge una digna estampa final:

...Sus mejores y más fieles partidarios fueron los curas del pueblo y los antiguos Cristeros, los cuales en 1970 velaron su cadáver hasta la madrugada, antes del entierro, mientras que los hombres políticos se marchaban, después de una corta visita de cortesía formal.

Años después, un 21 de octubre, un reportero visita el antiquísimo pueblo de Tzintzuntzan. Su hallazgo lo sorprende:

El 21 de octubre nadie trabaja en Tzintzuntzan. En el palacio municipal hacen un gran altar con flores y el retrato de Cárdenas. Los niños de la escuela desfilan y luego el pueblo entero se traslada hasta el panteón con el retrato y todo mundo reza por el eterno descanso de Tata Lázaro.

Se cuenta que, al morir Cárdenas, en varios pueblos tarascos se llevaron a cabo ritos mágicos y ceremoniales de la antigua religión en un intento por hacer que reviviera el llorado protector. De hecho, los tarascos ya han canonizado a Cárdenas: en muchas de sus casas mantienen altares con fotos de él y veladoras prendidas, para que los proteja desde el otro mundo.

¿Qué hizo Cárdenas para merecer la adoración de los tarascos? (...) "Nos trajo unos maestros alfareros de Tlaquepaque, para que nos enseñaran a mejorar nuestros productos", dice una vendedora de objetos de barro. "Gracias a Tata Lázaro tenemos electricidad y escuela", dice Delfino Ventura Pérez, presidente de la Unión Mutualista Tata Lázaro.

"No los olvidaré", había escrito en sus apuntes una mañana de 1934. Ellos, a su vez, no lo olvidaron. "Al menos mi tiempo tengo para darles." Ellos, año con año, se lo devuelven como ofrenda.

289. Los cristeros velaron su cadáver.
290. No los olvidaré.

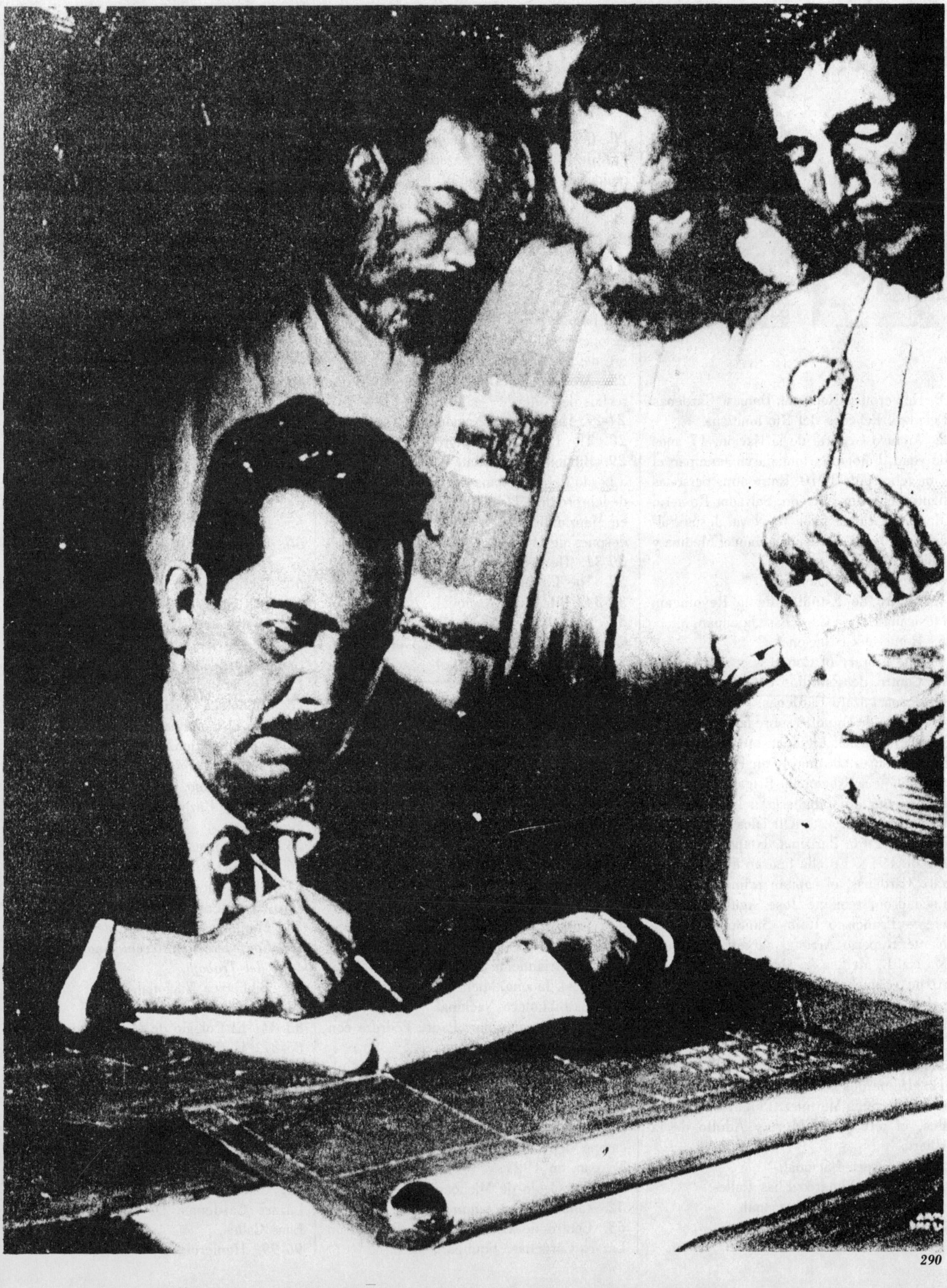

290

Créditos fotográficos

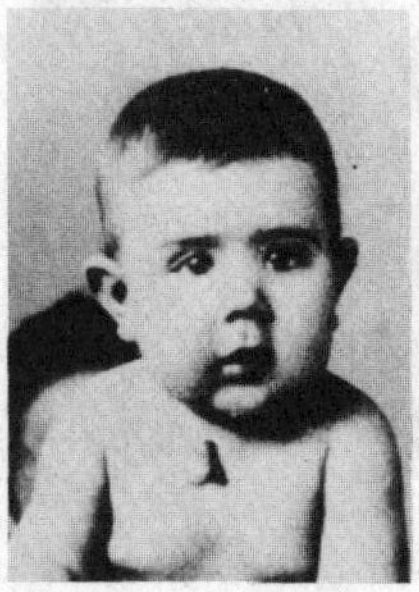

1. Hemeroteca Nacional. Dámaso Cárdenas Pineda y Felícitas del Río amezcua.
2. Archivo General de la Nación. 17 años de edad. Fotografía tomada en Jiquilpan el 1 de febrero de 1910. Entre otras personas figuran el señor Carreón, Salvador Romero, Mariano Eguirza hijo, M. Nava, Jesús Salcido, E. Ibarra y Allende, Manuel Medina y Rubén Mejía.
3. Hemeroteca Nacional.
4. Centro de Estudios de la Revolución Mexicana Lázaro Cárdenas, Jiquilpan, Mich.
5. Hemeroteca Nacional.
6. The Library of Congress.
7. Centro de Estudios de la Revolución Mexicana Lázaro Cárdenas.
8. Centro de Estudios sobre la Universidad. Archivo Magaña. El zapatista Bernardo Cobos con su estado mayor en Puebla.
9. biblioteca Nacional. Brigada del 22o. Regimiento de Caballería del Cuerpo del Ejército del Noroeste. Oficiales del 3er. Escuadrón. En la Purísima, Ixtapalapa. Octubre de 1914. En ella figuran el mayor Lázaro Cárdenas, el capitán primero jefe del Escuadrón, teniente José Aguirre, subteniente Francisco Rojas Sandoval, subteniente Ruperto Arrieta, sargento segundo Marcial L. Medina, el abanderado Salvador Arché y muchacho de 12 años "que han peleado como grandes soldados de la Revolución".
10. Hemeroteca Nacional.
11. Biblioteca Nacional.
12. Hemeroteca Nacional. Francisco Serrano, Eugenio Martínez, Plutarco Elías Calles, el jefe yaqui Mori y Adolfo de la Huerta.
13. Biblioteca Nacional.
14. Archivo Plutarco Elías Calles.
16-17. Hemeroteca Nacional.
18. Biblioteca Nacional.
19. Hemeroteca Nacional.
20. *Desdeldiez.* Boletín del Centro de Estudios de la Revolución Lázaro Cárdenas, Jiquilpan, Mich., septiembre de 1984.
21. Hemeroteca Nacional.
22. Biblioteca Nacional. De pie: Coronel R. Botello, Lázaro Cárdenas, pagador J. Lagarde y coronel D. Oaxaca. Sentados: coronel Ignacio Leal –se desconocen los nombres de los dos siguientes– y F. Cárdenas. Celebran el santo de Lázaro Cárdenas, jefe de operaciones del Istmo el 17 de septiembre de 1921, en San Jerónimo, Oax.
23. Archivo de la Dirección General de Derechos de Autor.
24-27. Hemeroteca Nacional.
28. The Library of Congress.
29. Biblioteca Nacional. Fotografía tomada a bordo del carro-caja L. N. 13 050, el 19 de febrero de 1924, a las nueve de la noche, en Manzanillo, Col. Cárdenas es prisionero después de la batalla de Teocuicatlán.
30-31. Hemeroteca Nacional.
32. The Library of Congress.
33-34. Biblioteca Nacional.
35. Hemeroteca Nacional. Manuel Ávila Camacho con Silvino Barba González en Sayula, Jal.
36. Biblioteca Nacional.
37. *Desdeldiez,* Boletín del Centro de Estudios de la Revolución Lázaro Cárdenas, Jiquilpan, Mich,., Julio de 1985.
38. *Idem,* septiembre de 1984.
39. Hemeroteca Nacional.
40. Centro de Estudios de la Revolución Lázaro Cárdenas, Jiquilpan, Mich.
41. Luis Alamillo Flores, *Memorias.*
42. Archivo General de la Nación.
43. Centro de Estudios de la Revolución Lázaro Cárdenas, Jiquilpan, Mich.
44. Luis Luna y Jean Meyer, *Zamora ayer...*
45. Licenciamiento de la Guardia Nacional (cristeros), Jacona, Mich. Archivo particular.
46-47. Biblioteca Nacional.
48. Archivo particular. Padre Pedroza con sus soldados en Los Altos.
49. Archivo fotográfico del Fondo de Cultura Económica.
50. Biblioteca Nacional. El general Múgica pronuncia un discurso en la inauguración del campo deportivo del 40o. Regimiento en Tuxpan, en 1927.
51. El Colegio de Michoacán.
52. *Zamora en su fundación.*
53. Centro de Estudios de la Revolución Lázaro Cárdenas, Jiquilpan, Mich.
54. Hemeroteca Nacional.
55. Centro de Estudios de Historia de México Condumex.
56. *La diócesis de Zamora.*
57. Centro de Estudios sobre la Universidad. UNAM. Archivo Aurelio Acevedo. Cura Juan Ibarra Jiménez en su capilla improvisada. Rancho Pinito del municipio de Huejuquilla el Alto, Jal.
58. *La Confederación Revolucionaria Michoacana del Trabajo,* Centro de Estudios de la Revolución Lázaro Cárdenas, Jiquilpan, Mich.
59-60. Centro de Estudios de la Revolución Lázaro Cárdenas, Jiquilpan, Mich.
61. El Colegio de Michoacán.
62. *Desdeldiez,* septiembre de 1984.
63. Biblioteca Nacional.
64. *El apóstol de Casas Viejas.*
65. *Desdeldiez,* diciembre de 1985.
66. Biblioteca Nacional.
67. *Desdeldiez,* diciembre de 1985.
68. Biblioteca Nacional.
69. El Colegio de Michoacán.
70. Hemeroteca Nacional.
71. Centro de Estudios de la Revolución Lázaro Cárdenas, Jiquilpan, Mich.
72. Hemeroteca Nacional.
73. Biblioteca Nacional. Lázaro Cárdenas inaugura el monumento al profesor Fajardo en Jiquilpan, Mich.
74. *Confederación Revolucionaria Michoacana del Trabajo,* Centro de Estudios de la Revolución Lázaro Cárdenas, Jiquilpan, Mich.
75. Hemeroteca Nacional.
76. Manjarrez, *Lázaro Cárdenas.*
77. Archivo fotográfico de la Imprenta Madero, S. A, Fotografía de Ricardo Salazar.
78. Manjarrez, *Lázaro Cárdenas.*
79. *Confederación Revolucionaria Michoacana del Trabajo.*
80. Biblioteca Nacional.
81-82. *Zamora ayer...*
83-84. El Colegio de Michoacán.
85-87. Heriberto Moreno García, *Guaracha.*
88-90. Biblioteca Nacional.
91. Patrimonio Universitario. UNAM.
92. Archivo particular.
93. Manjarrez, *Lázaro Cárdenas.*
94. Biblioteca Nacional.
95. Centro de Estudios de la Revolución Lázaro Cárdenas. De espaldas, Plutarco Elías Calles.
96-99. Hemeroteca Nacional.

100. *Zamora la vieja.*
102-103. Hemeroteca Nacional.
104. Archivo General de la Nación.
105. Centro de Estudios de la Revolución Lázaro Cárdenas. Jiquilpan. Mich.
106. Hemeroteca Nacional.
107. Archivo General de la Nación.
108-109. Hemeroteca Nacional.
110-111. Biblioteca Nacional.
112. Hemeroteca Nacional.
113. Biblioteca Nacional.
114. Archivo fotográfico de la Imprenta Madero, S. A.
115. Centro de Estudios de la Revolución Lázaro Cárdenas. Jiquilpan. Mich.
116-118. Biblioteca Nacional.
119-122. Hemeroteca Nacional.
123. Centro de Estudios de Historia de México Condumex.
124-131. Hemeroteca Nacional
132. Biblioteca Nacional. 11 de abril de 1936.
133-137. Hemeroteca Nacional.
138. Biblioteca Nacional.
139. Hemeroteca Nacional.
140. *Desdeldiez*, septiembre de 1984.
141. Biblioteca Nacional.
142-146. Hemeroteca Nacional.
147. Archivo General de la Nación.
148-149. Hemeroteca Nacional.
150. Archivo General de la Nación.
151-153. Hemeroteca Nacional.
154. Centro de Estudios de la Revolución Lázaro Cárdenas.
155-157. Hemeroteca Nacional.
158-159. Biblioteca Nacional.
160. Archivo General de la Nación.
161. Hemeroteca Nacional.
162-163. Biblioteca Nacional.
164-171. Hemeroteca Nacional.
172. Biblioteca Nacional.
173-174. Hemeroteca Nacional.
175. Archivo fotográfico de la Imprenta Madero, S. A.
176. Hemeroteca Nacional.
177. Archivo General de la Nación.
178.-180 Hemeroteca Nacional.
181. Archivo General de la Nación.
182-186. Hemeroteca Nacional.
187. Archivo General de la Nación.
188-194. Hemeroteca Nacional.
195. Hemeroteca Nacional. Mesa directiva de la convención de obreros petroleros. Señores Gray, Cervantes, Villalobos, Martínez Rincón y otros dirigentes del Sindicato de Trabajadores Petroleros.
196. Biblioteca Nacional.
197. Hemeroteca Nacional. Miembros de la Cuarta Sala de la Suprema Corte. De izquierda a derecha, magistrados Alfredo Iñárritu, Octavio M. Trigo, Salomón González Blanco, Xavier Icaza y Hermilo López Sánchez.
198-203. Hemeroteca Nacional.
204. Archivo General de la Nación.
205. Biblioteca Nacional.
206. The Library of Congress.
207-216. Hemeroteca Nacional.
217. The Library of Congress.
218-219. Hemeroteca Nacional.
220. Archivo Fotográfico de la Imprenta Madero, S. A.
221. Centro de Estudios sobre la Universidad. UNAM.
223. Hemeroteca Nacional.
224. Biblioteca Nacional.
225-231. Hemeroteca Nacional.
232. Biblioteca Nacional.
233-237. Hemeroteca Nacional.
238. Centro de Estudios de la Revolución Lázaro Cárdenas, Jiquilpan, Mich.
239. Archivo General de la Nación.
240. Luis Alamillo, *Memorias.*
241. Hemeroteca Nacional.
242. Archivo fotográfico del Fondo de Cultura Económica. Heriberto Jara, Adolfo de la Huerta, Emilio Portes Gil (?) Lázaro Cárdenas, Manuel Ávila Camacho, Plutarco Elías Calles, Abelardo L. Rodríguez, Pascual Ortíz Rubio. Atrás de Abelardo L. Rodríguez, Luis León.
243. Archivo General de la Nación.
244. Centro de Estudios de la Revolución Lázaro Cárdenas, Jiquilpan, Mich.
245. Hemeroteca Nacional.
246. Biblioteca Nacional.
247. Centro de Estudios de la Revolución Lázaro Cárdenas, Jiquilpan, Mich.
248. Archivo General de la Nación.
249. Hemeroteca Nacional.
250. Centro de Estudios de la Revolución Lázaro Cárdenas.
251. *Zinapécuaro.* Coronación de la Guadalupana como reina del trabajo.
252. Centro de Estudios de la Revolución Lázaro Cárdenas, Jiquilpan, Mich.
253. Archivo fotográfico de la Imprenta Madero, S. A.
254-255. Archivo General de la Nación.
256. Centro de Estudios de la Revolución Lázaro Cárdenas, Jiquilpan, Mich.
257. Archivo fotográfico de la Imprenta Madero, S. A. con Natividad Macías.
258. Centro de Estudios de la Revolución Lázaro Cárdenas, Jiquilpan, Mich.
259. Hemeroteca Nacional.
260. Archivo fotográfico de la Imprenta Madero, S. A.
261. Centro de Estudios de la Revolución Lázaro Cárdenas, Jiquilpan, Mich.
262. Hemeroteca Nacional.
263. Archivo fotográfico de la Imprenta Madero, S. A.
264-265. Hemeroteca Nacional.
266. Archivo General de la Nación.
268. Centro de Estudios de la Revolución Lázaro Cárdenas, Jiquilpan, Mich.
269. Hemeroteca Nacional.
270-271. Centro de Estudios de la Revolución Lázaro Cárdenas, Jiquilpan, Mich.
272. Hemeroteca Nacional.
273-274. Biblioteca Nacional
275. Hemeroteca Nacional.
276. Archivo General de la Nación.
277. Archivo fotográfico de la Imprenta Madero, S. A. Con Pascual Gutiérrez Roldán, foto de Héctor García.
278. Archivo particular.
279. Hemeroteca Nacional.
280. Archivo fotográfico de la Imprenta Madero, S. A.
281. Archivo General de la Nación.
282-285. Centro de Esudios de la Revolución Lázaro Cárdenas, Jiquilpan, Mich.
286-287. Archivo General de la Nación.
288. Hemeroteca Nacional.
289. Centro de Estudios de la Revolución Lázaro Cárdenas, Jiquilpan, Mich.
290. Hemeroteca Nacional.

Bibliografía

LIBROS, ARTÍCULOS Y FOLLETOS

Alba Cano, Néstor, "Del ayer revolucionario: Cárdenas y Sánchez Azcona", en *El popular*, 6 de septiembre de 1946.

Alvear Acevedo, Carlos, *Lázaro Cárdenas: El hombre y el mito*, Editorial Jus, México, 1972.

Anguiano, Arturo, *El Estado y la política obrera del cardenismo*, Era, 1975.

Anguiano Equihua, Victoriano, *Lázaro Cárdenas, su Feudo y la política nacional*, Editorial Eréndira, México, 1951.

Anguiano, Victoriano, "La personalidad de Lázaro Cárdenas," XXX. en *Excélsior*, 6 de mayo de 1950.

---, "La personalidad de Lázaro Cárdenas," XLII. en *Excélsior*, 26 de septiembre de 1950.

Arenas Guzmán, Diego, "La intransigencia de Zapata", en *El Universal*, 1 de agosto de 1933.

Arroyave, Ernesto, "¿Adónde va don Lázaro?", en *Todo*, 10 de mayo de 1961.

Ashby, J. C., *Organized labor and the Mexican Revolution Under Lázaro Cárdenas*, The University of North Carolina press, Chapell Hill, 1946.

Ávila y Valencia, Alfredo, "Cuando nos íbamos a quedar sin presidnte", en *Mujeres y deportes*, 12 de octubre de 1935.

Ayala Anguiano, Armando, "Cárdenas de carne y hueso", en *Contenido*, abril de 1978.

Barrera Fuentes, Federico, "Memorias de un reportero", en *Excélsior*, 1984-1985.

Barkin, David, *Los beneficiarios del desarrollo regional*, SepSetentas, México, 1972.

Benítez, Fernando, *Entrevistas con un solo tema: Lázaro Cárdenas*, UNAM, México, 1979.

---,*Lázaro Cárdenas y la Revolución Mexicana. III: El cardenismo*, Fondo de Cultura Económica, México 1980.

Bojórquez, Juan de Dios, *Lázaro Cárdenas (Líneas biográficas)*, Imprenta Mundial, México, 1933.

Bremauntz, Alberto, *De Obregón a Cárdenas*, Melchor Ocampo, México, 1973.

Britton, John A., *Educación y radicalismo en México. II: Los años de Cárdenas (1934-1940)*, SepSetentas, núm. 288, México 1976.

Cabrera, Luis, Un ensayo comunista en México", *Obras completas*, Ediciones Oasis, méxico, 1975.

Cárdenas, Lázaro, *Apuntes 1913-1940*, tomo I. UNAM. México, 1972.

---, *Apuntes 1941-1956*, tomo II. UNAM. México, 1973.

---, *Apuntes 1957-1966*, tomo III. UNAM. México, 1973.

---, *Apuntes 1967-1970*, tomo IV. UNAM. México, 1974.

---, *Epistolario*, Siglo XXI Editores, México 1975.

---, *Ideario político*, Era, México 1972.

---, *Informe a la legislatura*, 15 de septiembre de 1932.

---, Palabras a los jefes de las tribus yaquis, 10 de junio de 1939.

---, Palabras del Gobernador Constitucional del Estado de Michoacán al inaugurar el Instituto de Investigaciones Sociales, Morelia, Michoacán, 6 de noviembre de 1930.

Castillo, Heberto, *Cárdenas, el hombre*. Editorial Hombre Nuevo, México, 1974.

Córdova, Arnaldo, *La política de masas del cardenismo*, Era, México 1974.

Corona, Gustavo, *Lázaro Cárdenas y la expropiación de la industria petrolera en México*, 1975.

Correa, Eduardo J., *El balance del cardenismo*, Talleres Linotipográficos "Acción", México, 1941.

---, "La persecución religiosa", en *Todo*, 19-26 de junio de 1941.

Cosio Villegas, Daniel, "Sobre el general Múgica", en *Ensayos y notas*, tomo II, Editorial Hermes, México, 1966.

Chávez Orozco, Luis, "Cárdenas indigenista," en *El Universal*, 12 de noviembre de 1940.

De Alba, Pedro, "El presidente Cárdenas visto por un español", en *El Nacional*, 23 y 24 de octubre de 1935.

Desdeldiez, Boletín del Centro de Estudios de la Revolución Mexicana "Lázaro Cárdenas", A. C., septiembre de 1984, julio de 1985, diciembre de 1985.

Díaz Dufoo, Carlos, "La administración del general Cárdenas", II, en *Excélsior*, 24 de diciembre de 1940.

---, "La administración del general Cárdenas", IV, en *Excélsior*, 8 de enero de 1941.

Díaz Soto y Gama, Antonio, "Parcelamiento individual *vs.* colectivismo agrario", en *El Universal*, 26 de octubre de 1955.

Diego Hernández, Manuel, *La Confederación Revolucionaria Michoacana del Trabajo*, Centro de Estudios de la Revolución Mexicana "Lázaro Cárdenas", A. C., Jiquilpan, Mich., 1982.

Dulles, John W. F., *Yesterday in Mexico*, University of Texas Press, 1961.

Eckstein, Salomón, *El ejido colectivo en México*, Fondo de Cultura Económica, México, 1966.

Elías Calles, Plutarco, *Informe relativo al sitio de Naco 1914-1915*, Talleres Gráficos de la Nación, México, 1932.

---, *Partes oficiales de la campaña de Sonora*, Talleres Gráficos de la Nación, México, 1932.

"El general Cárdenas en la intimidad", II. en *Excélsior*, 8 de septiembre de 1935.

"El general Cárdenas en la intimidad," II. en *Excélsior*, 15 de septiembre de 1935.

Escoffie Z., Oscar, "La política del general Cárdenas y las finanzas de Yucatán", en *El Economista*, 16 de junio de 1941.

Extracto de antecedentes militares del C. Lázaro Cárdenas del Río, Secretaría de la Defensa Nacional, Departamento de Archivo, Correspondencia e Historia.

Fabela, Isidro, "La política internacional del presidente Cárdenas," en *Problemas Agrícolas e Industriales de México*, vol. VII. núm. 4, octubre-diciembre de 1955.

Foix, Pere, *Cárdenas*, Editorial Latinoamericana, 1947.

Friedrich, Paul, *Revuelta agraria en una aldea mexicana*, CEHAM-Fondo de Cultura Económica México, 1981.

Fuentes, Carlos, "Lázaro Cárdenas", en *Tiempo Mexicano*, Joaquín Mortiz, México 1973.

García Naranjo, Nemesio, "Cárdenas y el cardenismo", en *Novedades*, 26 de abril de 1950.

Garrido, Luis Javier, *El partido de la Revolución Institucionalizada*, Siglo XXI Editores, México 1982.

Gill, Mario, "Zapata, su pueblo y sus hijos", en *Historia Mexicana*, vol. II, octubre-diciembre de 1952, núm. 2.

Glantz, Susana, *El ejido colectivo de Nueva Italia*, SEP-INAH, México, 1974.

Gómez, Marte R., "Los problemas de la Región Lagunera", I-VI, 24.-29, en *El Nacional*, 29 de marzo de 1941.

Gómez Morín, Manuel, *10 años de México*, Editorial Jus, México, 1950.

González Aparicio, Enrique, "El problema económico de Yucatán", en *Diario del Sureste*, 7 de octubre de 1937.
González Casanova, Pablo, *La democracia en México*, México, 1967.
González, Luis, Michoacán, FONAPAS, México, 1980.
---, "Los artífices del cardenismo", *Historia de la Revolución mexicana*, tomo 14, El Colegio de México, 1979.
---, *La querencia*, Editorial SEP Michoacán, 1983.
---, "Los días del presidente Cárdenas", *Historia de la Revolución Mexicana*, tomo 15, El Colegio de México, 1981.
---, *Sahuayo*, Monografías Municipales, Gobierno del Estado de Michoacán, 1979.
---, *Pueblo en vilo*, El Colegio de México, 1968.
---, *Zamora*, El Colegio de Michoacán-CONACYT, 1984.
González Navarro, Moisés, *La Confederación Nacional Campesina*, Costa Amic, 1968.
Fernández, Roberto Diego, *La Confederación Revolucionaria Michoacana del Trabajo*, Centro de Estudios de la Revolución Mexicana "Lázaro Cárdenas", A. C., Jiquilpan, Mich., 1982.
Hernández Chávez, Alicia, "La mecánica cardenista," *Historia de la Revolución Mexicana*, tomo 16, El Colegio de México, 1979.
Hernández, Miguel, *Dictamen sobre las leyes de expropiación. Análisis de las leyes cardenistas de expropiación*, 23 de junio de 1932.
Hernández Llergo, Regino, "Con Calles en San Diego," I, en *Hoy*, 21 de enero de 1939.
---, "Con Calles en San Diego," II, en *Hoy*, 28 de enero de 1939.
---, "Entrevista con Lázaro Cárdenas en *Hoy*", en *Impacto*, 16 de abril de 1955.
Kluckholn, Frank L., *The Mexican Challenge*, Country Life Press, Nueva York, 1939.
Krauze, Enrique, "Cardenismo en claro", en *Caras de la historia*, Joaquín Mortiz, México, 1983.
---, *Daniel Cosío Villegas: una biografía intelectual*, Joaquín Mortiz, México, 1980.
Laborde, Hernán, "Cárdenas, reformador agrario", en *Problemas Agrícolas e Industriales de México*, enero-marzo de 1952.
---, *La gira del general Lázaro Cárdenas*. Partido Revolucionario Institucional, México, 1986.
Lapointe, Marie. "La reforma agraria de Cárdenas en Yucatán" (1935-1940), en *Relaciones*, vol. VI, núm. 21, El Colegio de Michoacán, invierno, de 1985.
Ley Reglamentaria de Educación Pública del Estado de Michoacán de Ocampo, 1 de enero de 1932.
Ley de Hacienda del Estado, 30 de diciembre de 1930.
López Victoria, J. M., *Biografía de Alberto Oviedo Motz*, CECN, Morelia, 1983.
Maldonado Gallardo, Alejo, *La lucha por la tierra en Michoacán*, Editorial SEP Michoacán, 1985.
Manz, Rebeca, "Presidente tipógrafo", en *Hoy*, 2 de octubre de 1937.
Márquez, Miguel B., *El verdadero Tlaxcalantongo*, A. P. Márquez, Méjico, 1941.
Martínez de la Vega, Francisco. "*Hoy* visita a Cárdenas en Tepalcatepec...", en *Hoy*, 7 de octubre de 1950.
Medin, Tzvi, *El minimato presidencial: historia política del maximato 1928-1935*, Era, México, 1982.
---, *Ideología y praxis política de Lázaro Cárdenas*, Siglo XXI Editores, México, 1973.
Mendoza, Moisés, "Del balance de un régimen", en *El Nacional*, 6, 9, 16, 20, 23, 28 y 30 de noviembre de 1940.
Mendoza, Salvador, *La doctrina Cárdenas*, Ediciones Botas, México, 1939.
Meyer, Jean, "Campesinos reaccionarios", en *Vuelta*, núm. 9, agosto de 1977.
---, *El sinarquismo, ¿un fascismo mexicano?*, Joaquín Mortiz, México, 1979.
---, *La cristiada*, tres tomos, Siglo XXI Editores, México, 1973.
---, *La revolución mejicana*, Dopesa, España, 1973.
Meyer, Lorenzo, *México y los Estados Unidos en el conflicto petrolero* (1917-1942), El Colegio de México, 1972.
Michels, Albert L., "Las elecciones de 1940", en *Historia Mexicana*, vol. XXI, julio-septiembre de 1971, núm. 1.
Michels, Albert, "Lázaro Cárdenas y la lucha por la independencia económica de México", en *Historia Mexicana*, vol. XVIII, núm 1, julio-septiembre de 1968.
Moheno, César, *Las historias y los hombres de San Juan*, El Colegio de Michoacán, CONACYT, 1985.
Molina Font, Gustavo, "Los ferrocarriles mexicanos," IV-VII, en *El Porvvenir*, 7, 12, 19, 20 de junio de 1940.
Moreno, Heriberto, *Guaracha. Tiempos viejos, tiempos nuevos*. El Colegio de Michoacán/FONAPAS, México 1980.
Mondragón, Magdalena, "Cárdenas será siempre el mismo", en *Todo*, 2 de junio de 1938.
Muñoz, Hilda, *Lázaro Cárdenas*. Archivo del Fondo, núms. 54-55, Fondo de Cultura Económica, México, 1975.
Nathan, Paul, "México en la época de Cárdenas," en *Problemas Agrícolas e Industriales de México*, vol. VII, núm. 3, julio-septiembre de 1955.
Novo, Salvador, *La vida en México en el periodo presidencial de Lázaro Cárdenas*, Empresas Editoriales, 1964.
Ochoa, Álvaro, "Notas genealógicas de la familia Cárdenas", *Boletín del Centro de Estudios de la Revolución Mexicana* "Lázaro Cárdenas" A. C., Jiquilpan de Juárez 1973.
Onofre, Alfredo, "Carta sobre la convalecencia de Cárdenas", en *Mujeres y Deportes*, 26 de octubre de 1935.
Orive Alba, Adolfo, *La irrigación en México*, Grijalbo, México, 1970.
Orosa Díaz, Jaime, "La Reforma Agraria en Yucatán", en *El Nacional*, 16 de octubre de 1953.
Ortega, Melchor, "La revolución social en Michoacán", en *El Nacional Revolucionario*, 26 de marzo de 1930.
Otero, Vicente, "Carta al general Cárdenas", 22 de febrero de 1924. *Boletín del Centro de Estudios de la Revolución Mexicana "Lázaro Cárdenas"* A. C., Jiquilpan de Juárez, mayo de 1979, núm. 1.
Pacheco, Guadalupe, *La estructura social mexicana en los años treinta*, Manuscrito.
Page, Myra, "Cárdenas habla en nombre de México", en *El Nacional* (reproducido de *New Masses*), 25 de diciembre de 1938.
Paz, Octavio, *Corriente alterna*, Siglo XXI Editores, México 1967.
---, "Entre la piedra y la flor". *Vuelta*, núm. 9, 1977.
---, *Libertad bajo palabra*, Fondo de Cultura Económica, México, 1960.
Pereyra, Carlos, "El último capítulo de la Historia de México", en *La Nación*, 11 de diciembre de 1942.
Pérez-Verdía, Benito Javier. *Cárdenas apóstol v. Cárdenas estadista*, México, 1940.
Pineda, Salvador. "Con Cárdenas en el camino," en *Diario del Sureste*, Mérida, 22 de abril-31 de mayo de 1955.
Piña Soria, Antolín, *Cárdenas socialista*, s.p.i., México, 1935.
Poniatowska, Elena, *Palabras cruzadas*, Era, México, 1961.
Raby, David L., *Educación y revolución social en México*, SepSetentas, núm. 141, México, 1974.
Ramos Arizpe, Guillermo, *et al.*, *Jiquilpan 1895-1920*, Centro de Estudios de la Revolución Mexicana "Lázaro Cárdenas," A. C., Jiquilpan, Mich., 1984.
"Revelaciones de Múgica sobre el general Cárdenas", en *Hoy*, 15 de abril de 1939.

Rodríguez, Antonio, "Cárdenas responde", en *Siempre!*, 30 de julio de 1958.

Rodríguez, María del Rosario, *El suroeste de Michoacán y el problema educativo*, UMSHN. Morelia, 1984.

Romero, José, *Lázaro Cárdenas. Su niñez y juventud hasta la época actual a través de mis recuerdos*, Imprenta América, 1933.

Ronfeldt, David, *Atencingo*, Fondo de Cultura Económica, México, 1975.

Salazar Mallén, Rubén, "El nuevo porfirismo", en *Hoy*, 28 de enero de 1939.

"Saldando una deuda de la Revolución", en *El Nacional*, 2 de julio de 1935.

Santos, Gonzalo N., *Memorias*, Grijalbo, México 1986.

Sierra Villarreal, José Luis, y Paoli Bolio, José Antonio, "Cárdenas y el reparto de los henequenales", en *Secuencia* núm. 6 Instituto Mora, México, septiembre-diciembre de 1986.

Silva Herzog, Jesús. *Lázaro Cárdenas. Su pensamiento económico, social y político*, Editorial Nuestro Tiempo.México, 1975.

Suárez, Luis, "La última gira de Cárdenas," en *El Heraldo*, 13 de agosto de 1966.

Tannenbaum, Frank, "Lázaro Cárdenas", en *Historia Mexicana*, vol. X. octubre-diciembre de 1960, núm. 2

Tapia Santamaría, Jesús, *Campo religioso y evolución política en el Bajío zamorano*, El Colegio de Michoacán, 1986.

Turrent Díaz, Eduardo, *Historia del Banco de México*, vol. I. Banco de México, 1982.

Towsend, C. William, *Lázaro Cárdenas: demócrata mexicano*, Grijalbo México 1976.

Uranga, Emilio, "Cárdenas como institución," en *Siempre!*, 10 de mayo de 1961.

Valadés, José C., "La corazonada de Calles," en *Todo*, 1 de julio de 1937.

Varios autores, *Cárdenas, visionario de la liberación nacional*, Tribuna de la Juventud.

Varios autores, "La personalidad del general Lázaro Cárdenas", en *El Universal*, 8 de noviembre de 1930.

Varios autores, "75 años de Cárdenas", en *El Gallo Ilustrado*, suplemento dominical de *El Día*, 31 de mayo de 1970.

Varios (Lorenzo Meyer, Josefina de Knauth, Tzvi Medin, Enrique Suárez Gaona, Lyle C. Brown), "Lázaro Cárdenas," *Revista de la Universidad Nacional Autónoma de México*, vol. XXV. núm. 9, mayo de 1971.

Villanueva, Francisco, "La obra de don Lázaro Cárdenas es digna de encomio", en *El Universal*, 15 de agosto de 1954.

Villasana, Eustaquio, "Historia revolucionaria," en *La Prensa*, 7 de julio de 1939.

Villaseñor, Víctor Manuel, *Memorias de un hombre de izquierda*, 1, Grijalbo México, 1976.

Villegas, Griselda, *Emilia, Una mujer de Jiquilpan*, Centro de Estudios de la Revolución Mexicana "Lázaro Cárdenas," Jiquilpan, Mich., 1984.

Weyl, Nathanaiel y Silvia, "La reconquista de México, en *Problemas Agrícolas e Industriales de México*, vol. VII. núm. 4, octubre-diciembre de 1955.

Wilkie, James y Edna, *México visto en el siglo xx*, Instituto Mexicano de Investigaciones Económicas, México 1969.

Zepeda Patterson, Jorge, "Los pasos de Cárdenas. la Confederación Revolucionaria Michoacana del Trabajo", *75 años de sindicalismo*. Instituto Nacional de Estudios Históricos de la Revolución Mexicana, 1985.

Entrevistas

Amalia Solórzano de Cárdenas,
Raúl Castellano,
Heberto Castillo,
Luis González y González,
Jean Meyer,
Manuel Moreno Sánchez,
Álvaro Ochoa,
Adolfo Orive Alba,
Arquitecto Oscar Pérez Palacios
Luis Prieto.

Archivos

Archivo del Registro Civil de Jiquilpan. Matrimonios, nacimientos. (Esta información la debo a la gentileza de Álvaro Ochoa.)

Archivo General de la Nación. Ramo Presidentes. Lázaro Cárdenas. Leg. 135.1/3.

Archivo Lázaro Cárdenas, en el Centro de Estudios de la Revolución Mexicana "Lázaro Cárdenas", en Jiquilpan.

Archivo personal del general Francisco J. Múgica.

Archivo Plutarco Elías Calles.

Índice

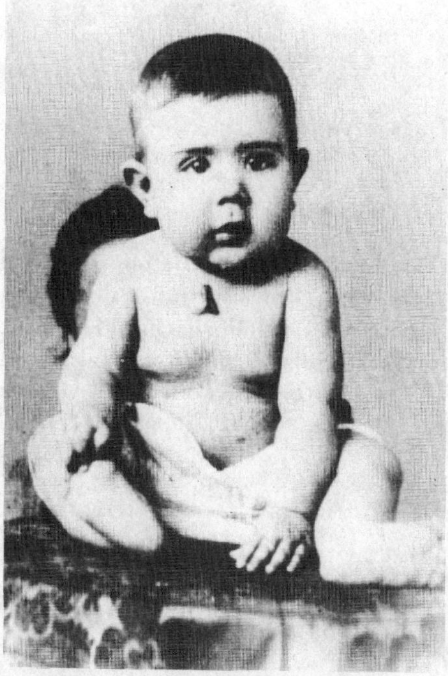

Este libro se terminó de imprimir y encuadernar en el mes de junio de 1992 en los talleres de Encuadernación Progreso, S. A. de C. V., Calz. de San Lorenzo, 202, 09830 México, D. F. Se tiraron 16 000 ejemplares.